初心を忘れず

松下幸之助

きょうはきのうのくり返し、あすもきょうのくり返し。刺激もなければ感動もない。そんなマンネリを感じたら思い起こしてみよう。志を立てたあの日の意気ごみを。

「道」に親しむ

「茶の湯は日本人の心のふるさと」「茶を点《た》てるひとときは何かしら心の安らぎをおぼえ、私の精神生活に欠かせない」と述べたことも
（昭和53年、大阪府門真市の松下電器本社内の茶室にて。83歳）

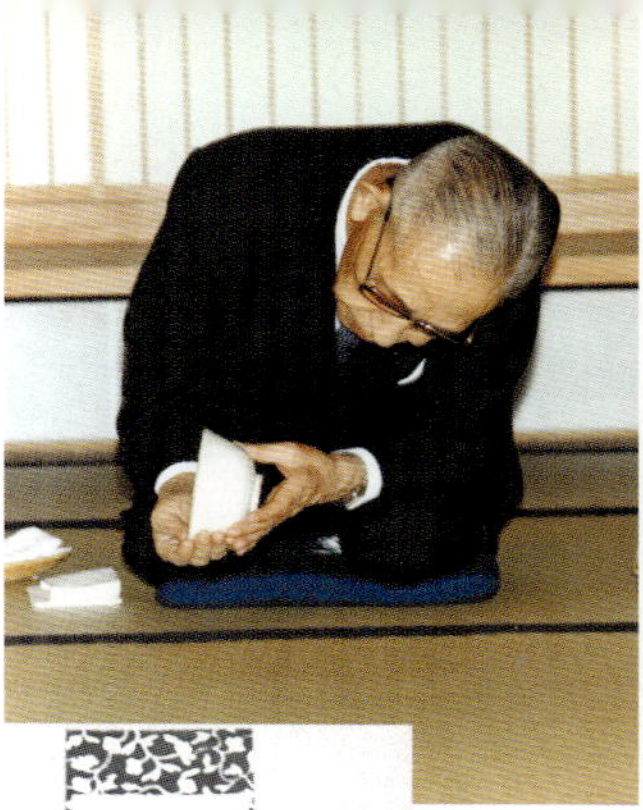

お茶の心は素直な心に通じると考えていた
（昭和50年、寄贈した和歌山城内の茶室「紅松庵《こうしょうあん》」にて。80歳）

昭和33年から裏千家の「老分《ろうぶん》」（裏千家の重要役職）を務め、茶名「宗晃《そうこう》」を受けた　　（昭和50年新春、兵庫県西宮市の自宅にて）

関西財界人の集まり「午七会《ごしちかい》」の会合で清元節《きよもとぶし》の稽古に励む
（左から２人目。昭和34年、京都にて。64歳）

しばしば書にみずからの思いを託して関係者に贈呈した
（昭和50年新春、大阪府門真市の松下電器本社にて書き初めに臨む）

人生心得帖／社員心得帖

Konosuke Matsushita

松下幸之助

PHPビジネス新書

松下幸之助ライブラリー

PHPビジネス新書「松下幸之助ライブラリー」創刊の辞

二〇一四年は、祖父・松下幸之助の生誕から百二十年の節目の年であると同時に、没後二十五年の年でもあります。これまで弊社では、創設者である幸之助の考え方をより多くの方に知っていただくべく、幸之助みずからが著した著書の出版にくわえ、さまざまなかたちでその事績や発言、哲学などを広くご紹介する活動を続けてまいりました。

そのようななか、昨年末に幸之助の代表的な著作である『道をひらく』が、初版から四十六年の時を経て累計発行部数五〇〇万部を突破するにおよび、私どもは、やはり幸之助自身の著書こそ多くの方に求められているのではないかとの思いを深めるにいたりました。

そこで、このたび「松下幸之助ライブラリー」を立ち上げ、これまで単行本や文庫などのかたちで発行してきた著書のうち主要なものを、よりビジネスパーソンが手に取りやすいシリーズとして集約し、リニューアル刊行することにいたしました。祖父・幸之助の著作がよりいっそう皆様にお役立ていただけますならば、これに勝る喜びはございません。

二〇一四年三月

PHP研究所会長　松下正幸

新書版『人生心得帖／社員心得帖』（合本）発刊にあたって

本書所収の二点を含む「心得帖シリーズ」は、松下幸之助の著作の中でも特に親しみやすいものとして、刊行以来、長きにわたって多くの方に読み継がれてきました。他の四点（『商売心得帖』『経営心得帖』『実践経営哲学』『経営のコツここなりと気づいた価値は百万両』）が、商売や企業経営といったテーマで、どちらかといえばお店の主人や企業の経営者、経営幹部がおさえておくべき心得をまとめたものであるのに対し、『人生心得帖』と『社員心得帖』は、一個人であったり、あるいは組織の中における一メンバーとしてのあり方について綴られており、万人に受け入れられやすいものだといえましょう。

さて、松下は、みずからが経営する松下電器（現パナソニック）の社員に常々、つぎのようなことを訴え続けていました。

「職場は人生の道場である。給料をもらうだけのところではない。地位が上がって偉くなるだけのところでもない。最も大事なのは、一人の人間として、職場の中で、自分の個性、持ち味を十分に発揮できるようにしていくことだ。自分自身のかけがえのない人生を、会社で仕事をすることを通じて、自分の力で充実したものにしていくことだ」

今回、『人生心得帖』と『社員心得帖』を一冊に合わせて発刊することにした理由は、こうしたところにあります。

松下は生前、世間から〝経営の神様〟などと呼ばれ、企業経営の達人として注目を集めていました。しかし、松下が生涯をかけて追い求めたものは、むしろ〝人間としての成功〟であり、幸福だったといえるでしょう。このことは、若くして経営者となり、多くの〝人〟を育てる中で自然に考えるようになっていったものと思われます。そして戦後、焦土と化し荒廃した日本で、本来最も偉大で幸福を得ていいはずの人間が山野の鳥や獣よりも苦しむ姿を目《ま》の当たりにしてからは、よりいっそう、人間とは何か、人生とは何か、幸福とは何かを深く思索するようになりました。

この姿勢は亡くなるまで一貫しており、本書所収の『人生心得帖』の「まえがき」で、まもなく満九十歳を迎えるという年にしてなお、「まだまだ修業途上にある」と述べている（21ページ）ところに、端的に現われています。

そんな松下が九十年をかけて感得した「人生の心得」とは、いかなるものでしょうか。

また、「ものをつくる前に人をつくる」とまで言い切るほどに社員を育てることに心血を注いだ松下が到達した「社員としての心得」とは、どのような姿勢なのでしょうか。ぜひ、本書をひもとき、その極意に触れていただければと思います。

二〇一四年三月

ＰＨＰ研究所　経営理念研究本部

【おことわり】

・本書では、松下電器グループ各社、およびその他の企業名は、旧版の発刊当時の社名をそのまま使用しています。

・「〇年前」などの時系列を表わす表記も、発刊時点での表記のままとしていますが、必要に応じて年代を付記するなどしています。

・現代では必ずしも適切でないとされる表現も一部含まれますが、当時の時代状況に鑑み、そのままの表現を残しているものもあります。ご了承ください。

人生心得帖／社員心得帖

目次

人生心得帖

社員心得帖

第一章　新入社員の心得

第二章　中堅社員の心得

第三章 幹部社員の心得

人生心得帖

まえがき（旧版）

私はまもなく満九十歳を迎えようとしています。大阪へ奉公に出るために、見送りに来てくれた母とともに、郷里の紀ノ川駅に立っていた九歳のあの日のことが、まるできのうのことのように思い出されます。

それから八十一年、いろいろなことがありました。よく人から「苦労されたでしょう」ということを言われるのですが、不思議とそのような実感はありません。とにかく、その日その日を仕事に懸命に打ちこみつつ歩んできました。そして、さまざまなことに出合い、いろいろな人にお会いし、今日このような自分がある。そのことを思うと、世と人と仕事というものに心から感謝をしたい気持ちでいっぱいです。

私は、そうした歩みの折々に考え感じたことを、これまで求められるままに書いたり話したりしてきました。この『人生心得帖』は、それらの中から人生にかかわることを、あらためてまとめてみたものです。

奥行きが深く、複雑で微妙な人生。まだまだ修業途上にある私が、人生について語るのはおこがましいかぎりです。しかし、私なりの体験とそれにもとづく考えが、皆さんのよりよき人生のために、いささかなりともお役に立てばとの願いから、あえてまとめてみた次第です。ご意見、ご感想などお聞かせいただければ幸いです。

昭和五十九年八月

松下幸之助

人生の航海術

自然の理にかなったことで、事が成らないものはない。何ものにもとらわれない素直な心で、何が理なのかを見極めつつ行動していきたい。

人生は、昔からよく航海にたとえられます。果てしなく広く、刻々と変化する大海原を、目的地をめざしてひたすら進む。その過程には、平穏で波静か、快適な日々もあれば、嵐で荒れ狂う大波に木の葉のごとく翻弄《ほんろう》される日々もある。ときには方向を見失い、さらには難破して漂流する場合も生じます。そうした姿は、確かにお互いの人生にも相通じているようです。

今日、船の旅は、昔に比べてずいぶん安全で快適なものになってきています。それは航海術の進歩や船の改良によるところが大きいと思いますが、この航海術や船の改善、改良にあたって重視されてきたのは、いわゆる自然の理法というものにどう従えば最も安全か、といったことだったのではないでしょうか。

大洋での航海には、大きな自然の力が常に働いています。風が吹けば波が立ち、波が立てば船は揺れます。それが自然の理法というもので、航海においては、この自然の理法にそむかずに従うということがきわめて大切です。もし、波があるにもかかわらずまったく揺れないように保とうとするならば、そこには非常な無理が生じて、たいへん危険です。というより、そうした自然の理に反するようなことは、できることではありません。

そのようなことから、航海術の進歩にしても船の改良にしても、どうすれば自然の理法にそむくことなく、より安全な航海ができるか、という観点を基本に進められてきているように思うのですが、このことは、お互いの人生航路においても、同様に大切なのではないかと思います。

それでは、人生の中で自然の理に従うとはどのようなことでしょうか。それは、とりたててむずかしいことではなく、雨が降れば傘をさす、そうすればぬれないですむ、というような、いわば万人の常識、ごく平凡なことだと思います。たとえば、病気で熱が出れば無理をせずしばらく休養する。何かでお世話になった人にはていねいにお礼を言う。商売でいえば、よい品物をつくって、適正な値段で売り、売った代金は確実に回収する。あるいは売れないときは無理に売ろうとせずひと休みし、また売れるようになれば懸命につくる。このようなごく当たり前のことが人生航路における自然の理法で、これらを着実に実践できるならば、体も健康体になるでしょうし、人間関係も、商売もうまくいくのではないでしょうか。自然の理法に従っていけば、あらゆる事柄が、もともとうまくいくようになっていると思うのです。

ところが私たちは、ともすればこのことを忘れ、何かにとらわれて壁にぶつかるということも多いように思います。

ナポレオンは「余の辞書には不可能という言葉はない」と言いました。これは見方によってはずいぶん不遜《ふそん》な言葉のように思われます。不可能なことはないといっても、人間にはやはりできないことがいろいろあります。年をとることも避けられませんし、死ぬこともまぬがれません。またそういうナポレオン自身、晩年は囚《とら》われの身となり、悲運のうちに亡くなっています。ですから、不可能はない、などというのは、人間の立場をわきまえない、うぬぼれの言葉だという見方もできると思います。

しかし、また別の見方をすれば、これはやはり一つの真理をついた言葉ともいえるのではないでしょうか。というのは、確かに人間には不可能なことがいろいろあります。不可能とはどういうことかというと、いわゆる自然の理に反することが不可能だということです。たとえば、人間は必ず年をとっていく、それは自然の理です。ですから、その理に反して年をとりたくないと願ったところで、それは絶対に不可能です。

けれどもこれは、逆にいえば、自然の理にかなったことであれば、すべて可能であるということでしょう。つまり、お互いの体のことにしても、人間関係や商売など何ごとにおいても、自然の理にかなっていれば必ず事は成るということだと思います。そういった意味で、このナポレオンの言葉は一面の真理をついていると思うのです。ただ、さすがのナポレオンも、最後は理に逆らったことをして自滅したというわけです。

波高い人生航路ではありますが、平素からこのことを頭に入れて、何ものにもとらわれない素直な心で、何が自然の理にかなうことなのかを見極めつつ行動していけば、どのような困難にぶつかろうとも、おのずから道はひらけてくるのではないでしょうか。

運命に光彩を

人事を尽くして天命を待とう。お互いの生き方次第で、自分に与えられた運命をより生かし、活用することができるのである。

人生というものは、そのほとんどの部分がいわゆる運命というものによって決められているのではないか。自分のこれまでの歩みをふり返ってみるとき、どうもそんな気がしてなりません。

たとえば、なぜ自分は電気器具の製造販売という仕事を始めたのか、そして幸いにもこの道である程度成功し今日の姿を築くことができたのか、ということ一つを考えてみても、どうもそうなるようになっていた、そういう運命が与えられていた、という以外に説明がつかないように思うのです。

というのは、世の中には、すぐれた人がたくさんいます。体が丈夫、高い学問がある、素質、才能に恵まれている等々、そのどれ一つとっても、私はずっと下のほうだと思います。にもかかわらず、今日多少なりとも事業において成功している面があるとすれば、それはそうなることが運命として与えられていたと考えざるを得ません。自分なりにその時々で一生懸命であったことは事実ですが、それが、人並み以上の勉強であったり特別の努力であったとは、とても思えないのです。

しかし、そうはいっても、今思えばこういうことはいえるのかもしれません。それは、運命というものを自分なりに、あるいは自然のうちに前向きに生かそうとしてきたということです。

家が貧しかったために、丁稚《でっち》奉公に出されたけれど、そのおかげで幼いうちから商人としてのしつけを受け、世の辛酸を多少なりとも味わうことができた。生来体が弱かったがために、人に頼んで仕事をしてもらうことを覚えた。学歴がなかったので、常に人に教えを請うことができた。あるいは何度かの九死に一生を得た経験を通じて、自分の強運を信じることができた。こういうように、自分に与えられた運命をいわば積極的に受けとめ、それを知らず識らず前向きに生かしてきたからこそ、そこに一つの道がひらけてきたとも考えられます。

いうまでもなく、運命というものは、人間の意志や力を超えたものです。私たちが、人間に生まれたこと自体、自分の意志でそうなったのではありませんし、男に生まれるか、女に生まれるか、また日本人に生まれるか、外国人に生まれるかといったことも、選べることではありません。あるいは、どういう天分、素質をもって生まれるかといったことについても、いわば天命によって決まっており、自分ではどうすることもできません。

しかし、それでは、運命として与えられたものについては、すべてまったく人間の力ではどうにもならないのかといえば、必ずしもそうではないと思います。

そこが運命の実に不思議なところというか妙味のあるところだと思うのですが、みずからの意識や行動のいかんによっては、与えられた運命の現われ方が異なってくる。つまり、「人事を尽くして天命を待つ」という言葉がありますが、お互いの生き方次第で、自分に与えられた運命をより生かし、活用できる余地が残されているとも考えられます。それは寿命とか、素質、才能など、人生の万般にあてはまることだと思いますが、私のこれまでの生き方も、知らず識らずのうちに、ある程度自分に与えられた運命を生かすものであった、とはいえるような気がするのです。

では、その人間に残された余地とはどれくらいなのでしょうか。これを数字で表わすことが適当かどうか分かりませんが、これまでの人間のさまざまな姿から私なりに察知すると、一〇パーセントから二〇パーセントくらいはあるように思います。つまり、この一〇パーセントなり二〇パーセントの人事の尽くし方いかんによって、みずからの八〇パーセントなり九〇パーセントの運命がどれだけ光彩を放つものになるか決まってくるということです。

とすれば、お互いにとって大事なのは、その一〇パーセントなり二〇パーセントなりの範囲においてせいいっぱいの人事を尽くすということだと思います。自分の人生にはどうにもならない面があるけれども、その範囲において、こうだという信念をもって、自分自身の道を力強く歩むよう努めていく。そうすれば、たとえ大きな成功を収めても有頂天にはならないし、失敗しても失望落胆しない。あくまで坦々《たんたん》とした大道を行くがごとく、処世の道を歩んでいくことができるのではないかと思うのです。

磨けば輝く人間の本質

人間はダイヤモンドの原石のように、光り輝く本質をもっている。しかし、このすぐれた本質も、磨くことなしには発揮されない。

お互い人間はどうあるべきか、どう生きるべきか、そのあり方を考える際にいちばん基本となるのは、〝人間とはどのようなものか〟という人間に対する認識、いわゆる人間観ではないでしょうか。人間というものをどのように考えるかによって、みずからの生き方自体も、あるいは他人との接し方なども変わってくると思うのです。

人間とは何か、ということについては、これまで学問的にも宗教的にも、あるいは暮しの体験などからも、いろいろな見方がされているようです。たとえば知恵ある動物と見たり、社会的存在と見たり、神性や仏性をもつものと見たり、逆に迷える凡夫だとか欲のかたまりと見たり、また強いものであるとか弱いものであるとか、さまざまな見方がされてきました。

これらはいずれも人間の一つの側面を表わすものといえましょうが、私は基本的には、人間というものは非常に偉大にして尊い存在であると、いつのころからか考えるようになりました。

生来、あまり丈夫なほうではなかった私は、独立して電気器具の製造を始めてからも病気がちで、寝たり起きたりの半病人のような姿で戦争のころまで仕事にあたってきました。

ですから、自分で先頭に立ってあれこれやりたいと思っても、なかなか思うようになりません。そこで、いきおい、しかるべき部下の人に任せてやってもらうことが多かったのです。また任せるについても自分がそのような状態でしたから、中途半端に任せるのではなく、「大事なことだけぼくに相談してくれ。あとは君がいいと思うようにやってくれ」というように思いきって任せざるを得なかったのです。しかし、任されたほうは「大将が病気で寝ているのだから、任された自分がしっかりやらなければならない」と大いに発奮し、十二分の力を発揮してくれました。しかも、そのように燃えている人たちが、みずからの力を存分に発揮しつつ、一つの目標に向かって他の人と協力していくことによって、一プラス一の力が三にも四にもなるという姿が生まれ、組織としても大きなことができたということが、たびたびありました。

そのようなことを経験していくうちに、人間とは偉大なもので、その能力や可能性というものには限りがないのではないか、と思うようになったのです。

私は、人間というものは、たとえていえば、ダイヤモンドの原石のような性質をもっているると思うのです。すなわち、ダイヤモンドの原石は、もともと美しく輝く本質をもっているのですが、磨かなければ光り輝くことはありません。まず、人間が、その石は磨けば光るという本質に気づき、一生懸命に磨きあげていく。そうしてこそ、はじめて美しいダイヤモンドの輝きを手に入れることができるのです。

お互い人間も、このダイヤモンドの原石のように、見た目には光り輝くものかどうか分からない場合もあるけれど、磨けば必ず光る本質をそれぞれにもっている。つまり、各人それぞれにさまざまな知恵や力など限りない可能性を秘めている。そのことにお互いが気づいて、個々に、あるいは協力してその可能性を磨いていくならば、人間本来のもつ特質、よさが光り輝くようになってきます。そこに世の中の繁栄も、平和も、人間の幸福も実現されてくると思うのです。

私たちは、この人間の偉大さというものに案外気づいていないのではないでしょうか。

むしろ、人間というものは弱いものである、あるいは、信頼できないものである、自分勝手なわがままなものであり争いを好むものである、といった見方に立っている。そこに今日生じているさまざまな混迷の一つの基本的な要因があるようにも思います。

お互いにこの人間の偉大な本質に目覚め、自信をもつということが大切だと思います。そして、ダイヤモンドの原石を磨くように、人間を本来の人間たらしめようと、これに磨きをかけていく。そうすれば、人間が本来もっている偉大さが花ひらき、そこにはきっと大きな成果があがってくると思うのです。

人間としての成功

自分に与えられた天分を完全に生かしきる。そこに自他ともに満足し得る人間としての正しい生き方があり、成功がある。

人はだれでも、その人生において、成功したいという願いをもっていると思います。幼いときから成功することが大事だと教えられ、自分でもなんとか成功しなければ、と考えている人が多いと思うのです。

しかし、あらためて考えてみると、この人生において成功するということは、いったいどういうことなのでしょうか。

これまで一般的には、高い社会的地位や名誉を得た人、あるいは財産をつくった人が成功者といわれ、尊敬されてきています。商売の世界でも、店を大きく発展させ、利益をあげて財産を蓄え、名声を得るといったことが、成功と考えられてきたように思います。

確かに、そういうことも一つの成功の姿でしょう。しかし、お互い人間にとっての成功とは、必ずしもそれだけではなく、また別の姿も考えられるのではないかという気がするのです。

というのは、昔から十人十色といわれるように、人はそれぞれ、みな違った持ち味、特質をもって生まれついていています。性格にしても、素質や才能にしても、自分と同じという人は地球上に一人もいないのです。そしてそのように、異なった持ち味、特質が与えられているということは、いいかえれば、人はみな異なった仕事をし、異なった生き方をするように運命づけられているのだとも考えられます。ある人には政治家としての天分なり使命が与えられているかと思うと、他のある人には学者としての天分、使命が与えられている。また、医者や技術者、画家や歌手、建築家や商人等々、さまざまな仕事をしていくにふさわしい天分、使命が、それぞれの人に与えられている、ということだと思うのです。

私は、成功というもののもう一つの姿とは、みずからに与えられたこうした天分を完全に生かしきり、使命を遂行することだと考えるのです。それが人間としての正しい生き方であり、これこそが、人間としての成功と呼べるものではないでしょうか。

したがってその成功の姿は、人によってみな異なるものになってきます。ある人にとっては大臣になってその任を果たすことが成功となり、またある人には洋服屋さんとして周囲の人に役立ち喜ばれることが成功となります。つまり、成功かどうかの基準が、社会的な地位や名誉や財産ではなく、自分に与えられた天分、使命に沿うか沿わないか、これを十分に生かすか生かさないか、ということにおかれるということです。

もし、社会的な地位や名誉や財産を得ることが唯一の成功だと考えるならば、とにかく何としてもこれを得なければということで、お互いに無理な努力をし、せっかくの自分の天分、特質をゆがめ、損なってしまうことも少なくないでしょう。また、そういうものがなかなか得られない場合には、非常に落胆したり劣等感を抱いたりして、生きるはりあいを失ってしまうことにもなりかねません。

どんなに努力したところで、すべての人が大臣にはなれませんし、社長になることも不可能です。みんなが資産家になることもむずかしいでしょう。

それに対して、それぞれの天分に生きるということは、考え方によっては全員が可能だと思います。しかも、そのようにみずからの天分に生きている人は、たとえ社会的な地位や財産があろうとなかろうと、いつもいきいきと、自分の喜びはここにあるのだという自信と誇りをもって、充実した人生を送ることができると思います。また、そういう人が多ければ、お互いの共同生活にもより豊かな活力が生まれ、力強い発展がもたらされるのではないでしょうか。

最近はよく「昔に比べ生活が豊かになったにもかかわらず、不平や不満をかこち、不安に悩む人が多くなった」ということがいわれます。私はその基本的な要因の一つとして、どうもこの人間としての成功観が関係しているような気がしてなりません。地位や名誉や財産といった基準に重きをおきすぎて、みずからの独自の天分を生かし、使命に生きることの大切さが忘れられている傾向が、会社や団体にも学校にも少なからず見られるようです。それが、不満や悩みを増やすことに結びついているのではないかと思うのです。

お互いの人生における成功、人間としての成功を、それぞれの天分を生かすことにあると考え、それを求めていくことによって、不満や悩みの解消に役立つことはもちろん、個人としての生きる喜びも、社会全体の発展、繁栄の程度も、より高いものになると思うのですが、どうでしょうか。

天分の発見

みずからの天分を見出したい。まず、そう強く願う。その思いをもち続ければ、天分は日常生活の中からおのずと見出せるものである。

人間としての成功が、自分に与えられた天分を生かしきることであるとするならば、その実現のためにはまず何よりも、自分の天分を正しくつかまなければなりません。そうでないと天分を生かすといっても、生かしようがありません。

ところがこの自分の天分、特質をつかむということが、実際はなかなかむずかしい。それは、そう簡単には見出せないようなかたちで与えられていると思うのです。このことは、いささかならず不合理のようにも思えます。しかし、実はこのへんにかえって人生の面白味というか、いい知れぬ味わいがひそんでいるのではないでしょうか。

天分を見出そうという場合には、まずこのことを心得ておく必要があると思います。その上で、どうこれを求めていけばいいかということになるわけですが、第一にはやはり、自分の天分を見出したいという強い願いをもつことが大切でしょう。この願いが強ければ、日常の生活の中からおのずと自分の天分を見出せる場合が多いと思います。

天分を自覚するにあたっては、たとえば、自分はこの方向に向いている、という内なる声が聞こえてくることもあるでしょう。あるいはちょっとした動機や事件が、自分に思わぬ天分があることを教えてくれる場合もあると思います。また周囲の人が、君にはこういう天分があるのではないかと言ってくれることもあります。そうしたときに、天分を知りたいという強い願いをもっていれば、それをピンと感じ取ることができます。

しかし、願いが弱いとそうはいきません。他人の話でも、いわゆる「馬の耳に念仏」で、せっかくの助言も役に立たなくなってしまいます。ですから、やはりまず強く願うこと、それが何よりも大切だと思うのです。

それと、もう一つ大切なのは、いつも素直な心をもつようにするということです。この素直な心は、私心にとらわれず、物事をありのままに見、正しい判断のできる心、といいかえることができると思いますが、そういう素直な心が欠けていると、自分を買いかぶったり、他人の勧めを自分に都合よく曲解したりしがちです。それでは、とんでもない方向を自分の適性に合った方向だと思いこんでしまいかねません。

そうしたことから、自分に与えられた天分を見出すには、強い願いと素直な心、この二つをいつも堅持していることが大切だと思うのです。

また、これはちょっと観点が異なりますが、天分の発見のためには、お互いが子どもたちに対して、小さいころから、こうしたものの見方、考え方を教え、あわせて、子どもたちが自分の天分を発見しやすい環境なり雰囲気をつくっていくことが大切だと思います。家庭でも学校でもそうした雰囲気をつくっていかなければならない。さらにいうならば、広く社会全体が、天分の発見に熱意をもち、発見しやすいような環境、雰囲気を生み出していかなければならないと思うのです。

そのようにして、お互いがみずからの天分を見出し、その発現に努力するとき、すべての人が成功し、すべての人が幸せになる道がひらかれてくるのではないかと思います。

そしてまた、それぞれの人がその天分に従って、無理をせず、無益な競争もせず、自分に与えられた役割を全うするならば、社会全体が有機的な活動を示すようにもなって、その繁栄が着実に高まっていくのではないでしょうか。

まず信頼すること

人間は信頼されれば、それにこたえようとするもの。信頼してだまされるならば、それでも本望だというくらいの気持ちに徹したい。

今日まで、いろいろな人とともに仕事をし、さまざまな方々とご縁をもってきました。そして、今、この時点でしみじみと感じるのは、やはり人間というものは、大きく見ればすばらしいもので、信頼すれば、必ずそれにこたえてくれるものだということです。また、信頼しあうことによってお互いの生活に物心両面の利がもたらされ、人間関係もよりスムーズになるということです。

自分の身内三人だけで電気器具の製造を始めてまもないころ、こんなことがありました。仕事が三人だけではどうしても追いつかないほど忙しくなったので、初めて四、五人の人に働いてもらうことにしたのです。ところが一つの問題が起こりました。それはどういうことかというと、そのときつくっていたソケットなどの製品には、アスファルトとか石綿、石粉などを混ぜあわせてつくる、いわゆる煉物《ねりもの》というものを材料として使っていたのですが、この煉物の製法を教えるべきかどうか、という問題が出てきたのです。というのは、当時この煉物というのはまだつくられたばかりで、どの工場でもその製法を秘密にしていました。兄弟とか親戚《しんせき》など、限られた身内の者だけにその製法を教えて、その人たちが作業にあたるという姿が一般的だったのです。

しかし、そのとき、私は考えました。もし、他の工場のように製法を秘密にすれば、作業が身内の者しかできないだけではなく、その仕事場を他の従業員に見せないようにしなければならない。これはまことにめんどうで能率も悪い。それ以上に、自分の工場で働いてくれるいわば仲間に対し、そのような態度をとってよいものだろうか。そこで結局、雇い入れた人にも適宜製法を教えて、その製造を担当してもらうことにしたのです。

このようなやり方について、ある同業者の方が、「製法が外に漏れる危険があり、同業者が増えることにもなりかねない。それはぼくたちにとっても、君自身にとっても、損になるのではないか」と忠告してくれました。しかし、その忠告は忠告としてありがたく受けましたが、その仕事が秘密の大切な仕事であることを話して依頼しておけば、人はむやみに裏切ったりするものではなかろうというのが、そのときの私の考えでした。

その結果は、幸いにして、製法を外に漏らす人もいませんでしたし、何よりも、重要なことを任されたことで、従業員が意欲をもって仕事に取り組むようになり、工場全体の雰囲気ものびのびと明るくなって、仕事の成果があがるという好ましい結果が生まれてきたのです。

その後も、できるかぎり従業員を信頼し、思いきって仕事を任せるようにしてきました。たとえば、二十歳を過ぎたばかりの若い社員に、新たに設ける金沢の出張所開設の仕事を任せたり、これはと思う人に製品の開発を任せたりしてきました。そして、それらの人たちはおおむね期待以上の成果をあげてくれたように思うのです。

そのような体験を幾度となく重ねる中で、人間が信頼しあうことの大切さを身にしみて感じるようになったのです。

もし、ともに働いてくれている人に不信感をもっていたら、どのようになっていたでしょうか。きっと、自分自身精神的にも苦痛であったでしょうし、仕事の面で非能率な姿がいろいろ生まれてきたのではないでしょうか。

確かに人間の心には、愛憎の念とか損得の念とかさまざまな欲望があります。ですから、そういったものにとらわれて他人を見れば、自分のもてるものを奪おうとしているのではないか、あるいは自分の立場を損なおうとしているのではないかという疑いの気持ちも起こってくるかもしれません。しかし、そうした不信感から生まれてくるのは、不幸で非能率で悲惨な姿以外の何ものでもないという気がするのです。

大切なのは、やはりまず信頼するということ。信頼することによってだまされるとか、それで損をするということも、ときにはあるかもしれません。かりにそういうことがあったとしても、信頼してだまされるのならば自分としてはそれでも本望だ、というくらいに徹底できれば、案外人はだまさないものだと思います。自分を信じてくれる人をだますということは、人間の良心が許さないのでしょう。

〝人間というものは信頼に値するもの〟、そういってよいのではないかと思うのです。

感謝する心

感謝の心を忘れてはならない。感謝の心があってはじめて、物を大切にする気持ちも、人に対する謙虚さも、生きる喜びも生まれてくる。

だいぶ以前のことですが、体調を少し崩していたこともあったのでしょう、どうも精神的に疲れを覚え、気がめいってはればれとした気持ちになれずに日々を過ごしていたことがありました。

そんなある日、たまたま出会った親しい友人に、「どうも最近は、なんとなく心さみしくて、ときどき世の中を悲観するような感じにおそわれるんだ。どういうわけだろうか」と、尋ねてみたのです。

するとその友人は即座に、「それは、君、憂鬱《ゆううつ》病だよ」と言うのです。自分ではそんなつもりはまったくありませんでしたから、びっくりしましたが、しかし、そう言われてみると、あるいはそうかもしれないという気になりました。

そこで「じゃあいったい、その原因はどこにあるんだろうか」と、さらに尋ねてみると、「それは簡単だよ」ということで、つぎのような話をしてくれたのです。

「君は喜びを知らないんだ。もののありがたさを知らないんだ。ぼくはそう思う。今の君の境遇は、ぼくから見ればきわめて恵まれている。けれども君は、それをそう恵まれた結構なことだとは考えていないようだ。そればかりか君自身が生きていくために欠かすことのできないもの、たとえば空気といったものが、こうしてふんだんに与えられているということさえもありがたいと感じてはいないと思う。だからそのようなさみしさに陥るのだよ。もしそのことに気づいて、ああ、ありがたいという気持ちになれば、この世の中は非常に楽しいものだということになって、少しくらい心を煩わすような問題が起こっても、勇気凛々《りんりん》ということになると思うんだがね」

それを聞いて、なるほどと思いました。

あらためて友人から言われてみると確かにそのとおりで、自分がおかれている境遇にも、ときおり結構だという思いを感じることはあっても、そう深くありがたいことだとは思っていませんでした。

また、自分が生きていること自体についても、それは空気がふんだんに与えられているからこそで、そのことによって身が保たれているんだといったようなことは考えてもいなかったのです。

そこで考えました。確かに、自分にとって会社の仕事、わが使命も大事である。しかし、もしかりに五分間でも空気を止められたら、いっぺんに死んでしまって仕事どころではなくなる。そのいちばん大事な空気というものが、無限に与えられている。そのことに格別のありがたさも感じないで、目の前の出来事にいちいち心を奪われ、煩わされているようなことではいかん。それはあまりに心が狭く小さな姿だ。

そう考えたとき、なるほどこれはなにもあれこれ煩悶《はんもん》することもないなという気持ちになって、また大いにやらなければ、という気分を取り戻すことができたのです。

実際、私たちは、空気をはじめ、水、太陽など、大自然の限りない恵みを受けています。また、親や兄弟、先輩、同僚などの周囲の人や周囲の物、さらには先祖の遺産といったもののおかげで日々を過ごすことができているわけです。ですから、そういうものに対して感謝の気持ちをもつことは、人としていわば当然のことであり、忘れてはならない態度だと思います。

ところが、私自身もそうですが、人はとかくこれを忘れがちです。考えてみれば実にありがたいことであるにもかかわらず、そのことに気づかない。そのためにかえって不平や不満をつのらせ、気分を暗くしていることが少なくありません。結局、自分で自分の生活を味気なく、憂鬱なものにしてしまっているわけです。

感謝の心などというと、この忙しい現代には時代遅れの遺物だ、とかたづけられてしまうような傾向も、昨今はなきにしもあらずです。しかしこれは、時代を問わず、非常に大事なことだと思います。

感謝の心があってはじめて、物を大切にしようという気持ちも謙虚な心も生まれてきます。また生きる喜びやゆとりも生じて、人と接する場合でも、いらざる対立や争いが少なくなるといったことにもなりましょう。

お互いに不安や怒りで心が暗くなったとき、感謝の心を忘れていないか自問自答してみる。そのことも、人生を生きる大切な心得の一つといえるのではないでしょうか。

怖さを知る

〝怖いもの知らず〟ほど危険なことはない。怖さをみずから求めて、それに恐れを感じつつ身を慎んでいくことが大切である。

お互いがよりよい人生を生きるためには、一面において、〝怖さ〟というものを感じつつ日々を送ることが大切ではないかと思います。

というと、〝怖さを感ずるというのは臆病《おくびょう》だからで、そんなことでは何もできないではないか〟と考える方がおられるかもしれません。

しかしここでいう怖さとは、そういった臆病であるがために感ずる怖さではなく、もっと積極的な意味での、謙虚な態度に通じる怖さです。たとえば、身近な例をあげると、子どもは親や教師にある種の怖さを感じます。店員は主人が怖いし、社員は社長が怖い。また、会社で最高の地位にいる社長にしても、世間が怖いというように、人はそれぞれに怖いものをもっています。

また、そのように、他人が怖いというだけでなく、自分自身が怖いということもあります。ともすれば怠けがちになる自分の心が怖い。また、他人に対して傲慢《ごうまん》になりがちな自分の性格、あるいは何か事をなすにあたって、自分の勇気のなさ、信念のなさが怖いということもあるでしょう。

そういう、ただ単に犬にかまれるのが怖いといったこととは違った、もっと精神的な意味での怖さというものを常に感ずることが大切ではないかと思うのです。

それはなぜかというと、お互い人間にとっては、もしそういう怖さというものが何もないならば、自分の思うようにふるまうことはできても、考え方が知らず識らずのうちに甘く、尊大になり、結局は自分をダメにしてしまうことが少なくないと思うからです。

あのナチスのヒトラーにしても、怖さを知らなかったがためにみずからの力を過信し、権力をふりかざし、その果てに滅びの門に突入することになったのでしょう。そのようなことを考えると、〝怖いもの知らず〟ということほど危険なことはないように思います。

ですから私たちは、そういう広い意味での怖さというものをみずから求めてでも常に心に抱いて、それに恐れを感じつつ、日々努力を続けていくことが大切だと思います。そうすれば、そこにおのずと謙虚さというか、一種の慎み深さが生まれてくる。また、みずからの行動についていろいろと反省する心のゆとりが生まれてきて、自分のとるべき正しい道はどれかということを的確に判断することもしやすくなる。つまり、そのように怖さを知って謙虚な態度をとりつつ前進への努力をするというところから、人間としての真の実力も養われてくるのだと思うのです。

そしてこのことは、単に個人の人生についてばかりでなく、会社や団体、さらに大きくは国の政治をあずかる政府についても、いえることではないかと思います。

団体でも一国の政府でも、怖さを知らないと必ずみずからの力を過信するようになり、そのうちに暴力や権力に頼って事を進めようとします。その結果は、といえば、一時的に権勢をふるうことになったとしても、やがて遠からず、みずから滅びの道へと突き進んでしまう。そういう実例が多いのではないでしょうか。

ですから、お互い個々人はもとより、何人かの人が組織、団体をつくって集団で事を行う場合でも、いわゆる多数の横暴といった姿に陥らないよう、十分に留意する必要があると思います。

最近の世の中を見ていると、個人においても団体においても、どうもこの危険な〝怖いもの知らず〟が多すぎる、そんな気がしてなりません。

人情の機微

人の心は理屈では割りきれない。微妙に動く人情の機微を知り、これに即した言動を心がけて、豊かな人間関係を築きたい。

考えてみれば、人の心というものはまことに不思議なものです。〝人情の機微〟という言葉がありますが、ほんの些細《ささい》なことで、うれしくなったり、悲しくなったり、あるいは怒りを感じたり、また、大きくふくらんだり、しぼんでしまったり、微妙に動くのが人の心です。ですから、共同生活の中で気持ちよく生活していくためには、お互いこのことをよく知って、他人の気持ちを考えながらふるまうということがきわめて大切なのではないでしょうか。

以前、このような話を聞いたことがあります。それは、明治政府ができて、初めて所得税というものが設けられたときのことです。

当時、大阪ミナミの宗右衛門町に富田屋という一流のお茶屋がありました。その富田屋にある日、大阪の名高い町人というか、いわゆるお金持ちの人たちが、大阪の税務署から招待されたというのです。

お金持ちたちは、招待とはいうものの、今よりもはるかに強い権力をもっていたお役所からの招きです。いったい何ごとかと不安な気持ちを抱きつつ、かしこまって座敷に座っていました。そこへ出てきたのが、税務署長とおぼしき人物。ところがその人は正面の床の間を背にした席ではなく、いわゆる末席にピタリと座って、「本日わざわざお越しいただいたのはほかでもありません。このたび皆さんの収入に応じて所得税というものを新たに納めていただくことになりました。ついてはよろしく……」とあいさつし、一席ふるまったというのです。

それだけの話なのですが、これを聞いたとき、そこにある種の味わいを感じました。というのは、いわゆる官尊民卑の風潮が強かった当時のことですから、新しい税制をつくるにも、通達を出すなりお役所へ呼びつけて命令しても、それはそれで通るわけです。ところがそういうことはせずに、税務署長みずからが丁重に礼を尽くして趣旨を説明し、協力を求めた。そこに、何かしら人情の機微にふれた心配りといったものが感じられて、心あたたまる気分になったのです。

私は、こうした人情の機微にふれる態度や配慮というものが、お互いの日々の生活においても、やはりきわめて大切ではないかと思います。

人間は、たとえば人から何か頼まれるというような場合、いわば〝利害によって動く〟という面と、〝利害だけでは動かない〟という二つの面をもっていると思います。話をもちかけた人の態度にどこか横柄なところがあったり、高飛車なところが感じられたりすると、それが自分にとってどんなに得になる話であっても、断わってしまうことがあります。反対に、たとえ自分にとって負担がかかり、損になることでも、頼む人の態度が非常にていねいで誠意あふれるものであったなら、ついついその誠意にほだされて、引き受けてしまうこともある。お互い人間には、そうした理屈では割りきれないような微妙な心の働きがあるのではないかと思うのです。

ですから、人にものを頼むにしても、そうした二つの心の働きのアヤというものをよくわきまえて行動することが大切で、そのような人情の機微にふれた行き方をお互いに実践することによって、よりスムーズな人間関係も築かれていくのではないかと思うのです。

お互いにどれほど人情の機微にふれた行動を日々意識して実践しているか、ときにふり返ってみたいものです。

日々の体験を味わう

大成功や大失敗だけが人生における体験ではない。平穏な日々の中でも、心の持ち方いかんでは、大いに体験を積むことができる。

よく「百聞は一見にしかず」といいます。あることやあるものについて、人から百回話を聞くよりも、一回そのものを実際に見たほうがよく分かるというほどの意味でしょう。確かにそのとおりだと思いますが、世の中にはいくらそのものを見たからといっても、その本質を簡単にはつかめないといった場合もあります。

たとえば、塩を見れば、〝ああ、塩というのは白いもので、こんな感じのものなんだ〟ということは分かります。しかし、塩の辛さといったものは、いくら頭で考えたり、目で見たりしても分かるものではないでしょう。まず、自分でひと口なめてみる。頭で考えるのではなく、みずから味わってみてはじめて塩というものが分かる。そのように体験を通してはじめてものの本質をつかみ、理解することができるという場合が、世の中には少なくありません。いわば〝百聞百見は一験にしかず〟ということも、ある場合にはいえると思うのです。

先輩とか年長者が尊重されるのも、一つにはやはり長年のあいだにいろいろな体験を重ねており、その体験からくる見識とか判断力とかに、おのずと違うものがあるからだろうと思います。その意味では、年をとっても体験をあまりもっていないということでは、ほんとうに年をとったことにはならないでしょう。

では、体験を積むということは、いったいどのようなことをいうのでしょうか。大きな成功とか、あるいは大きな失敗とか、何か特別な体験をもつことをいうのでしょうか。

確かにそうした体験は貴重なものですし、そこからは多くのことを学ぶことができるでしょう。しかし、そのような大きな体験、特別な体験でなければ体験を積むことにならないのかといえば、決してそうではないと思います。事なくして平穏、安定した日々の中でも、心の持ち方次第で十分体験を積むことができるし、むしろある意味では、そうした日々の体験というものが、きわめて大切ではないかと思うのです。

たとえば、お互いが毎日仕事をしていく上で、〝これはうまくいった〟という場合でも、よく考えてみると〝ちょっと行きすぎでまずかったかな〟とか、〝あれは失敗ではないが、もっとうまい方法があったのではないか〟といったことがいろいろあると思います。そういうものをみずから反省し、味わうならば、それはそれで貴重な体験になる。そのように、小さな成功と小さな失敗とから成り立っている仕事の一つひとつをよく味わっていくならば、一見平穏無事の日々の中でも、さまざまな体験をもつことができ、それらがすべて人生の糧となって生きてくると思うのです。

こうした小さな、目にも見えない平穏無事の中の体験は、いわば心の体験とでもいうべきものでしょう。

かたちに現われた成功や失敗の体験だけでなく、この心の体験を日々重ねていくことが、特に変化の激しい時代に生きる私たちには、きわめて大切なのではないでしょうか。

長所も短所も

自分の長所にうぬぼれてはならない。自分の短所に劣等感をもつ必要もない。長所も短所も天与の個性、持ち味の一面なのである。

お互い人間は神ではありません。ですから、いわゆる完全無欠、全知全能などという人はいるものではありません。だれもが、程度の差こそあれ、長所と短所をあわせもっています。そこで人は、ときにその長所を誇り、短所を嘆いて、優越感にひたったり劣等感に悩んだりします。

しかし考えてみれば、この長所とか短所というもの、それによって深刻に一喜一憂するほどに絶対的なものでしょうか。どうもそうではないような気がします。というのは、お互いの日々の生活においては、長所がかえって短所になり、短所が長所になるようなことが、しばしばあるからです。

事業経営を通じて長年のあいだに接してきた、たくさんの経営者の人たちについても、そういう例をよく見かけます。経営者の中には、知識も豊富で話もうまく、行動力も旺盛《おうせい》といった、いわゆる〝手八丁、口八丁〟といわれる人がいます。そういうすぐれた能力を備えた人が経営者であれば、その会社は間違いなく発展していくようにも思われます。しかし、実際には必ずしもそうでない場合が案外多いのです。

反対に、一見、特別にこれといったとりえもなく、ごく平凡に見える経営者の会社が、隆々と栄えていることもよくあります。

どうしてそのようなことになるのか、非常に興味があるところですが、それは結局、経営者の長所がかえって短所になり、短所が長所になっているということではないかと思うのです。

すぐれた知識や手腕をもつ人は、何でも自分でできるし知っていますから、仕事を進めるにあたっていちいち部下の意見を聞いたり相談をかけたりということをしない傾向があります。それどころか、せっかく部下が提案をしたような場合でも、「そんなことは分かっている」と簡単にかたづけてしまうことさえあります。その結果はといえば、部下の人たちがすすんで意見を言わなくなり、ただ〝命《めい》これに従う〟といった姿勢で仕事にあたることになります。それでは各人の自主性も生かされず衆知も集まりませんから、力強い発展が生まれないのは明らかでしょう。

また、そのような経営者には、部下のやっていることがまだるっこくて仕方がない、自分でやったほうが早いということで、仕事をあまり任せない傾向があります。あるいは、かりに任せても、いちいち細かく口出しをする。

そういうことでは、部下はやる気をなくしてしまいますし、すぐれた人材に育つということも、きわめて少なくなってしまいます。その面でも、会社の発展が妨げられるわけです。

一方、一見平凡に見える経営者の会社が発展するというのは、その反対の姿があるからでしょう。何でも自分で決めたりやったりするのでなく、部下の意見をよく聞き、相談をかけ、仕事を任せる。そのことによって全員の意欲が高まり、衆知も集まって、そこに大きな総合力が生み出される、といった経営を進めているわけです。

このように、長所が短所として働き、短所が長所として生きるということは、企業の経営に限らず、お互いの日々の生活の中にも、ままあるのではないでしょうか。

そういうことを考えるとき、お互いにあまり長所とか短所にこだわる必要はない、という気がするのです。

長所も短所も、人それぞれに異なって与えられている天与の個性、持ち味の一面であると考えられます。それは、お互い人間の小さな目で見れば長所であり短所であって、喜んだり嘆いたりする対象となるものかもしれません。しかし、神のごとき大きな目で見れば、一人ひとりの顔かたちが違うのと同様で、是非善悪以前のものなのではないでしょうか。

もとより、自分に短所があると感じ、それに劣等感を抱く、また長所を自覚して優越感を抱くというのも、人間としての一つの自然の感情だと思います。また、そうした見方に立って、自分の個々の長所をさらに伸ばし、短所の矯正に努めるということも、一面では大切なことでしょう。

しかし、基本的には、長所と短所にあまり一喜一憂することなく、おおらかな気持ちで、自分の持ち味全体を生かしていくよう心がけることが、より大切なことではないかと思うのです。

流されずに聞く

迷ったときには、人に意見を求めてみる。自分をしっかりつかみ、素直な心で耳を傾けていく。そこから確かな人生の歩みが始まる。

私たちは、日々の生活の中で、さまざまな迷いによく直面します。たとえば仕事をしていく場合でも、自分はこの仕事に向いているのだろうかといった基本的な迷いをもつこともあれば、新しい仕事にどう対処していったらいいかというような具体的な悩みにも出合います。

また若い人であれば、将来の進路や結婚問題が悩みの種になることもあるでしょう。そのように、大は一生を左右するほどの決断から、小は日々のこまごまとした選択まで、常にいかにすべきかという迷いが生じてくるのが人生だと思います。

そこで、そうした岐路に立って判断に迷ったとき、その迷いをどう解決するかということが問題になりますが、そういうときには、一つにはやはり、他の人に意見を求めてみることだと思います。友人や家族、先生や上司、先輩など、自分をよく知ってくれている人に尋ねてみる。そうすると、そこに具体的な方向がしだいに明らかになってくる場合が多いと思うのです。

私もこれまで、自分で分からないことがあると、できるかぎり人の意見を求めるよう努めてきました。家内とその弟と三人で、文字どおり家内工業として仕事を始めてから今日まで、たとえば新しい仕事をすべきか否かといったことでも、自分だけでは判断がつかないことがしばしばありました。そんなときには、第三者に事情を説明して、「君ならどう思うか」と尋ねてみたわけです。

そうすると「それは松下君、無理やで」とか、「君の今の力ならやれる。大いにやるべきだ」とか、あるいは「今は時期が悪い」とかいろいろ言ってくれます。そのときに自分がすぐ得心できたら、そのとおりに実行します。しかし、どうももうひとつピンとこないということもあります。そんな場合には、またほかに人を求めてきいてみると、また違った立場からの意見を言ってくれます。そうした意見を参考にして自分なりによく考え、結論を出すようにしてきたのです。

これは、私の一つの体験にすぎませんが、どんな場合でも、意見を求めてみると、「それは君、よく尋ねてくれた。君を見ていて内心こうしたらよいとかねてから思っていたんだ」というようなことを言ってくれる人が、案外多いのではないでしょうか。ですから躊《ちゅう》躇《ちょ》せず、思いきって尋ねてみることだと思います。

ただ、その場合に忘れてならないのは、あくまで自分というものをしっかりつかみ、その上で、素直な心で聞くということでしょう。自分をつかんでいないと、相手の言うことがみな正しく思えて、聞くたびに右往左往するといったことになりかねません。また、私心にとらわれ、素直ならざる心で聞けば、自分の利害や体面などが気になって、自分に都合のいい意見ばかりを求めてしまうことにもなるでしょう。それでは、せっかく聞く意味がなくなってしまいます。

こうした態度は、人に意見を聞く場合だけでなく、本を読んだりテレビを見たりする場合でも、同様に大切なことだと思います。ある一つの行き方を知って、そのとおり自分でやってみても、人それぞれに天分、個性が違うのですから、同じようにはいきません。人には人の行き方があり、自分には自分の行き方がおのずとあるわけで、だから、やはりまず自分の考え、性質を正しくつかんで、その上で他人の行き方を参考としていかなければならないと思うのです。

人間一人の知恵、才覚というものはきわめて頼りないもので、だからこそ、迷ったときはもとより、何ごとにも積極的に他の人の知恵を借りることが必要です。決して自分のカラに閉じこもっていたり、頑迷であったりしてはならないと思います。しかし、人の意見を聞いてそれに流されてしまってもいけない。聞くべきを聞き、聞くべからざるは聞かない。そのへんがなかなかむずかしいところですが、それができれば、お互いの人生の歩みは、より確かなものになっていくのではないでしょうか。

仕事と運命

何ごとも自分の意志で動く、とだけ考えていると、事があったとき動揺しやすい。自分の意志を超えたものにも目を向けて生きたい。

私は電灯会社に勤めていた二十二歳のとき、電気器具の製造——といっても今日のようなテレビや洗濯機ではなく、小さなソケットにすぎませんでしたが——を思い立ち、自分で仕事を始めました。きわめてささやかな姿ではありましたが、それは明らかに自分の意志で決めたことでした。私自身が、こうしようと決意して、その道を選んだのです。

しかし、あとからふり返って考えてみると、どうもそれだけではなかったような気がします。確かに自分で決意したにはちがいないものの、そこには、私をしてそう決意せしめる何かがあったと思うのです。

たとえば、当時の社会情勢もその一つでしょう。もし私が、もう二、三十年早く生まれていたとしたら、おそらく電気器具の製造をしようといったことは考えなかったにちがいありません。また、私の健康状態であるとか、おかれていた環境なども、私の決意、選択に大きな影響を与えるものであったと思います。もし私の体が頑健で、両親も健在、兄二人も早くこの世を去ってしまわず元気でいたとしたら、私の選んだ道は、また別のものになっていたとも考えられます。ですから、電気器具をつくろうという私の決意は、単に自分の意志だけによるものではない。そこにはやはり、何か運命的な力が働いていたと思わざるを得ないのです。

人間というものは、どんな時代に生まれあわせても、その時代に応じて活動し、自分を生かしていくことができるものです。しかし、ある特定の仕事をなすということは、やはりその仕事をなすにふさわしい時代に生まれあわせなければ、できないでしょう。人間は、一面では自分の意志で道を求めることができるけれども、反面、自分の意志以外の大きな力の作用によって動かされてもいる。それは否定できない事実です。私は、お互いにこのことをよく知ることが大切だと思います。そうすることによって、そこに非常に力強いものが生まれてくるのではないかと思うのです。

何ごとも、自分の意志だけで動いているのだと思っていると、何か事があった場合に、どうしても動揺しがちです。しかし、自分はもっと大きな力によって動かされているのだと考えれば、そこにあきらめ、というと語弊《ごへい》がありますが、ある種の安心感が生まれてきて、ジタバタ動揺せず、これに素直に従っていこうということにもなってくるでしょう。

もとより、自分の意志、裁量によって是非を判断し、事を進めていくことは大事です。しかし、人間は、時により日によって心が移り、ものの見方、考え方が変わってくるという一面をもっています。したがって、自分の意志だけで一生を動かしていくということであれば、ときに迷いが深まり、不安、動揺が激しくなるということが、往々にして起こってきます。

ですから、自分の意志で歩んでいくことは、それはそれで大事にしつつ、あわせてそれと同じように、あるいはそれ以上に、いい意味でのあきらめというか諦観《ていかん》をもち、与えられた環境に腹をすえて没入していく。そういう生き方をとることができれば、長い人生においてさまざまな問題に直面し、困難に出合ったときにも、基本的には大きく動揺せずにすむのではないでしょうか。個々の問題について悩んだり苦労したりすることはあっても、大きく悩み、煩悶し、ついには自分の存在を否定してしまうといったことにはならないと思うのです。私が六十年以上にわたって、いわばこの道一筋に歩んでくることができたのも、一つには、こうした運命観、見方をもっていたからではないかという気がします。

熱意と誠意

知識も大事、知恵も大事、才能も大事。しかし、何よりも大事なのは熱意と誠意である。この二つがあれば、何ごとでもなし遂げられる。

以前、このような話を聞いたことがあります。それは、生命保険とか火災保険とか、保険の勧誘をする人の中で、いちばん多く契約を取る人といちばん少ない人とでは、その契約高に百倍からの開きがあるというのです。

この話を聞いたとき、いささか驚いてしまいました。同じ保険会社に勤務して、まったく同じ条件の〝保険〟というものを売っているのに、なぜそれほどの差が生じるのでしょうか。これにはいろいろ原因が考えられます。たとえば、その人の性格というものも影響するでしょう。あるいは保険に対する知識が豊富なこと、話し方が上手であるといったことも一つの大きな原因になるでしょう。

しかし、よく考えてみると、それだけではとうてい他の人の百倍もの契約が取れるとは思えません。私なりの体験から考えてみますと、これはやはり、その人の仕事に対する心がまえに根本的な原因があるのではないか。つまり、どれだけ熱心かつ誠実に仕事に取り組んでいるかによるのではないでしょうか。

熱心かつ誠実に仕事に取り組んでいる人は、常に〝こうしたらどうだろうか〟とか、〝このつぎはこんな方法でお客様に話してみよう〟というように工夫を凝らし、いろいろ効果的な方法を考えます。また同じことを説明するにも、その話し方に、礼をわきまえながらも、自然と熱がこもり、気魄《きはく》があふれます。

もちろん、その熱意と誠意は、保険というものがお客様のためになるものである、お客様のためにお勧めしているのだ、という強い信念がなければ出てこないでしょうが、そのような態度が、お客様の心を打ち、〝同じ保険に入るのなら、この人と契約しよう〟ということになるのではないでしょうか。そういう日々の仕事に対する態度というものが、契約高の百倍という差になって現われてくるのではないかと思ったのです。

私もこれまで、熱意と誠意の大切さを痛感し、自分がこの点において欠けるところがないかということを絶えず自問自答してきました。そして実際、こういうように仕事をしていきたい、従業員とともにこのような会社にしていきたい、といった経営に対する熱意と誠意だけは、だれにも負けないような強いものをもっていたのではないかと思います。ですから、学問もなく、体も弱く、これといったとりえのない私でも、自分よりすぐれた知識、才能をもった部下の人たちに仕事をしてもらい、成果をあげることができたのでしょう。ですから、私はよく言うのです。

「社長というものは、何よりも熱意と誠意だけは、その会社において一番のものをもっていなければならない。社長にそれがあれば、社員もそれを感じて、知識ある者は知識を、技能ある者は技能を、というように、それぞれに自分のもてるものを提供し、働いてくれる」

このことは責任者の立場にある人だけにいえるものではありません。また、仕事の場だけにいえるものでもありません。人生のあらゆる場で、すべての人にとって、何か事をなし遂げようとする場合、熱意と誠意のあるなしが成否を決める一番のカギとなってくると思うのです。極端にいえば、口がきけない人であっても、熱意と誠意に強いものがあればきっと、筆談をするとか、身ぶり手ぶりをまじえるとか、いろいろと工夫して、事をなしていこうとするでしょう。またそうした態度が人の心を打ち、共感を呼んで、必ず協力者が現われてくる。物事とはそのようにして成っていくものではないでしょうか。

学問を使いこなす力を

学問はあくまで人間にとっての道具である。それを使う自分の主体性を自覚し、学問にとらわれ、ふり回されないようにしたい。

私は、いわゆる学問らしい学問は、まったくといっていいほどせずに育ちました。満九歳、小学校四年生のときに、大阪の商店で奉公を始めましたから、小学校も中途でやめているのです。もちろんそれは、自分でそうしたくてしたのではありません。むしろ学校へ行きたいという気持ちは、人一倍強かったように思います。

今でもよく覚えていますが、私が奉公していた店のすぐ向かいの家に、同じくらいの年の子どもがいました。毎朝、店の掃除をしているときに、その子が学生服を着て、「行ってきます」と家を出ていきます。その姿をほんとうにうらやましいと思いながら見たものでした。ですから、できることなら私も学校へ行きたかった。けれども、家の事情がそれを許さなかったのです。

しかし、あとになって考えてみると、そのように学問がしたくてもできなかったことが、かえって自分の役に立ったのではないかという気もしています。

それはどういうことかというと、独立して事業を始めてから、だんだんと多くの人たちに社員として働いてもらうようになったのですが、そのときに、それら社員の人たちが、みんな自分より偉く思えたのです。自分は学問をしておらず、あまりものを知りません。それに反して、社員として会社に勤めてくれる人たちは、みな学校を出て学問があり、いろいろな知識をもっています。となれば、私がそういう社員の人たちを自分より偉いと尊敬するのは当然です。

そこで、おのずと社員の人たちの意見に耳を傾けるようになります。そうすると社員の人たちも、私のそういう態度に応じて、それぞれにもっているすぐれた知恵や力を大いに発揮してくれるというわけで、そこには私一人の力ではない、全員の総力を集めた、いわゆる衆知経営というものが生まれてきました。それが会社を着実に発展させる一つの大きな要因になったように思うのです。

もっとも、そうはいっても、それは学問というものがお互いにとって不必要だということでないのはもちろんです。学問が大切なものであることはあらためていうまでもありません。これまで多くの先人たちが、さまざまな学問に励んでくれたおかげで、今日の人間社会の進歩発展が実現されてきているわけですし、これからも学問の必要性はますます高まっていくでしょう。

しかし、その必要性が高まれば高まるほど、それにとらわれないようにすることがいっそう大事ではないかと私は思うのです。もし学問が大切だからといって、そのことにとらわれ、学問がなければ何もできないというように考えることがあるならば、それはやはり好ましいことではない。学問があることは大いに結構だが、なくてもかまわない。なくてもそれなりに生きる道はある。そういう柔軟な考え方に立つことが大事なのではないでしょうか。

最近の世の中を見ていると、どうもその点が忘れられているような気がしてなりません。お互いが学問にとらわれ、学問にふり回されている姿が少なくないように思うのです。

学問なりそれを通じて得られる知識なりというものは、あくまでもお互いが生活していくための道具にすぎません。これを適切に使えば、非常に効果的である反面、使い方を誤れば、そこに大きな弊害が生じてきます。場合によっては、学問があるためにかえって自分の身を滅ぼすといったことも起こってきます。

ですから私たちは、学問、知識が道具であることをよく認識して、これにとらわれることなく、正しく生かしていかなければならない。そのためには、自分がその道具を使いこなせるほどに成長しなければならないわけですが、そのへんがどうも十分ではないような気がするのです。

今日では高学歴化が進んで、たくさんの人が上級の学校に進学するようになっているだけに、よけい学問にとらわれないことの大切さ、これを正しく生かすことの大切さを忘れてはならないと思います。

病とつきあう

病気は恐れて遠ざけていれば、あとから追いかけてくる。病気と仲よく親しんで、積極的に近づいていけば、向こうが逃げていく。

健康――それは仕事はもとより何をするにもきわめて大切で、いわば何ものにもかえがたい、だれもがもちたいと願っている宝であるといえましょう。ところが世の中というものは、なかなか思うようにはいきません。現実には、健康を損なって、病の床にいる人が少なくありません。

そのような方々に対して私は、自分なりの体験から、つぎのようなことを申しあげたいと思います。それは、「不安でも病から逃げないように。病を恐れて遠ざけていれば、病はあとから追いかけてきますよ。反対に病を味わい、病と仲よくすれば、しまいには病のほうから卒業証書をくれるものです」ということです。なぜこのようなことを言うのかというと、私が幸いにも九十歳の今日まで、なんとかやってくることができたのも、一つにはそのように心がけてきたことによると思うからです。

二十歳前後のころ、私は電灯会社に勤めていました。そのころのある夏のこと、海水浴からの帰り道、なにげなく吐いたタンの中に血が混じっていたのです。さっそく医者に診てもらうと、「あんた、肺尖《はいせん》カタル（肺上部の先端部の結核症。肺結核の初期病変）や。半年ほど会社を休んで、故郷《くに》へ帰って静養することやな」ということです。ところが当時すでに父母はなく、故郷に帰るといっても帰るべき家がありません。しかも、給料は日給で、今のように保険制度もなかったので、休めばたちまち食うに困るというせっぱつまった状態に追いこまれてしまいました。

そこで、もうこうなったら仕方がない、病気になったのも自分に与えられた運命だと度胸を決めて、可能なかぎり養生しようと考えたのです。そして、三日働いては一日休み、一週間出勤しては二日家で休養するというような生活を続けました。

ところが、それで病気が進行したかというと、それ以上悪くはならなかった。キチンと養生しなければ死んでしまうかもしれない、と医者が言ったほどの病気でしたが、不思議なことに進行が止まってしまいました。そして、その後も病気のほうは一進一退、戦後になってからは、どうしたわけか若いころよりも丈夫になって、今日まで元気でやってくることができたのです。

どうしてこのようなことになったのか。これはやはり、病気になったとき、〝これが運命ならば仕方がない。あまんじて受けよう〟と腹をすえたことがよかったのではないかという気がします。つまり、運命ならばこれに逆らうことはやめて、むしろ、これは天が与えてくれた修練の場だというように、積極的に病気とつきあい、仲よくしていこう、そう考えて努めたことが、いい結果を生んだ一つの要因だと思うのです。

考えてみれば、健康であるにこしたことはありませんが、病にかかったからといって、それが必ずしも人を不幸にするとは限りません。世の中には、病にかかったことによって人間の気持ちというものをよりよく知ることができるようになって、幸せになったという場合もありますし、またその逆に、自分の健康を過信して、不幸になったというような話もあります。

ですから、病になったときに大切なのは、不幸なことだ、悲しいことだ、といたずらに心を乱すのではなく、むしろ、よい修練の場が与えられた、病になってよかった、病さんありがとう、とおおらかな気持ちで、積極的に病と仲よくつきあっていくことではないでしょうか。またそれが、病を治す近道でもあるように思うのです。これはあくまでも、私なりの行き方であって、だれにでもあてはまるものではないかもしれませんが、病にかかったときの対処法の一つとして、ご参考になればと思うのです。

悩みの解消

お互い人間には、本来悩みはないものである。もし悩みがあるとすれば、自分がとらわれた見方をしているからだ。

私たちはだれしも、何らかの悩みをもちつつ日々を過ごしているといってよいと思います。体が弱い、失恋をした、どうも人間関係がうまくいかない、仕事で大きな失敗をした、など、人それぞれにいろいろな悩みがあって、そのために夜も眠れないといったことも少なくないでしょう。なかには、そうした悩みが高じて人生に絶望し、みずから生命を絶ってしまうというような不幸な姿もしばしば見られます。そうした不幸な姿に結びつく悩みというものは、なぜ生まれてくるのでしょうか。

もちろんそれぞれの場合に、それぞれなりの事情があっていちがいにはいえないと思います。けれども総じていえば、そうした悩みというものは、物事の一面のみを見て、それにとらわれてしまっているところから生まれている場合が多いのではないでしょうか。

私もどちらかといえば神経質なほうで、これまでいろいろなことで、何度となく悩んできました。というより、毎日が悩み、不安の連続であったように思います。ともすれば他を見て自分の精神を動揺させ、自分の仕事はこれでいいのかと自信を失う。そして不安にとりつかれる。そのような日々をくり返してきたというのが実情ですが、悩みに陥ったときのことを、あとで考えてみると、やはり一つの見方、考え方にかたより、とらわれていることが多かったように思うのです。ただ、そのように日々これ不安という状態ではありましたが、単にそれに終始してしまうということはなかったように思います。もし不安だけに終始していれば、精神的にも肉体的にも参ってしまって、今日の私というものはなかったでしょう。

ではどうしたのかというと、そのとらわれている見方から離れ、別の考え方に立つことで、その不安、動揺を押しきるというか、乗り越えるよう努めてきたわけです。たとえばその一例として、五十人ばかり人を使うようになったころ、こんなことがありました。

みなよく働いてくれたのですが、その中に一人、ちょっと悪いことをする者がありました。それで、そんな人がいて困ったなと思ったり、その人を辞めさせたものかどうか迷ったり、気がかりで夜眠れないのです。

ところが、あれこれ考えているうちに、ハッと思いつくことがありました。それは、今、日本に悪いことをする人が何人くらいいるかということです。法を犯して監獄に入っている人がかりに十万人とすれば、刑法にふれないけれど軽い罪を犯して見のがされている人は、おそらくその五倍も六倍もいるだろう。ところが、そのような人たちは別に日本から追放されてはいない。当時は戦前のことで、天皇陛下は神様のような存在でしたが、その天皇陛下の御徳をもってしても、悪いことをする人を完全になくすことはできない。しかもその人たちを、あまりに悪い者は監獄に隔離するけれど、それほどでもない者はこれを許し、国内にとどめておられる。それが現実の日本の姿である。だとすれば、その中にあって仕事をしている自分が、いい人だけを使って仕事をするというのは、虫がよすぎる。天皇陛下の御徳をもってしてもできないことを、一町工場の主人にすぎない自分がしようと思ってはいけない。

そう考えると、悩みに悩んでいた頭がスーッと楽になりました。そして、その人を許す気になったのです。それから後は、そういう考えに立って大胆に人が使えるようになりました。

こうした体験が、これまで数知れずありました。私の場合、日々の悩みや不安、動揺がきっかけとなって物事を考え直し、それがかえって後々のプラスになることが多かったのです。

考えてみれば、今日のように変転きわまりないめまぐるしい環境の中で、次々に生じてくる新しい事態に直面して、そこに何らの悩みも不安も感じないということはあり得ないと思います。あれこれと思い悩むのが人間本来の姿でしょう。しかし、だからといってただいたずらに動揺し、それにおびえてなすところがないということでは困ります。やはりお互いに、日々、悩み、不安を感じつつも、敢然としてこれに取り組み、そこから一つの見方にとらわれずにいろいろな考えを生み出すよう努めていく。そうすればものの見方にはいろいろあって、一見マイナスに見えることにもそれなりのプラスがあるというのが世の常の姿ですから、そこに悩みや不安を抜け出し克服していく道もひらけてきます。つまり、それらが悩みや不安ではなくなって、ことごとく自分の人生の糧として役立つという姿が生まれてくると思うのです。そのようなことから私は、お互い人間には、本来、悩みなどない、と考えるべきではないかと思っています。本来ないものがあるのは、自分がとらわれた見方をしているからだと考えて、みずからを省みることが、悩みの解消のためには最も大切ではないかと思うのです。

続けること、辛抱すること

成功とは成功するまで続けること。辛抱して根気よく努力を続けているうちに、周囲の情勢も変わって、成功への道がひらけてくる。

やることなすことが裏目にばかり出る。懸命に努力しているのに、どうもうまくいかない。そのような状況に陥って頭を悩ますことが、長い人生にはときにあります。そんなときに大事なのは、やはり志を失わず地道な努力を続けること。およそ物事というものは、すぐにうまくいくということはめったにあるものではない。根気よく辛抱強く、地道な努力をたゆまず続けていくことによって、はじめてそれなりの成果があがるものだという気がします。

私が二十二歳で独立し、自分で考案したソケットの製造販売を始めたときもそうでした。四ヵ月ほどかかってつくりあげたソケットも、売れたのは当時のお金でたった十円足らず。仕事を続けるどころか、あすの生計をどうするかという状態にまで追いこまれてしまいました。もしそのときに、もうダメだということでその仕事をあきらめてしまっていたら、今日の私も、松下電器という企業もなかったのはいうまでもありません。しかし私は、それが考えに考えぬいたすえに強く決心して始めた仕事だけに、どうしてもやめてしまう気になれず、なんとかよりよいソケットをつくれないかと、苦しい生活の中で、改良の努力を続けました。そうこうするうちに年の瀬も迫って、窮状はさらにつのったのですが、そこへ思いもかけず、ソケットの技術を生かして、扇風機の部品の一つである碍盤《がいばん》というものをつくってくれないか、という注文が舞いこんできたのです。そのおかげでどうにか行きづまりが打開できて、事業を軌道に乗せる道がひらけたのでした。

その後も同じような体験を何度もしてきたのですが、結局物事というものは、そのようなかたちで成り立っていくという一面があるのではないでしょうか。つまり、たとえ初めは予期したような成果が十分あがらなくとも、辛抱して根気よく努力を続けているうちに、周囲の情勢が変わったりして、思わぬ成果があがるようになる。あるいはまた、その努力を続ける姿に外部からの共鳴や援助の手が伸びて、成功の道に進むことができる、といったことが多いと思うのです。

そうとすれば、やはり何ごとにおいても、ひとたび志を立てて事を始めた以上は、少々うまくいかないからとか失敗したからといって、簡単にあきらめてしまってはいけない。ときには失敗し、志をくじかれることがあっても、めげることなく辛抱強く、地道な努力を重ねていくことが大切で、そうしてこそはじめて、物事をなし遂げることができるのではないでしょうか。私たちの身のまわりにある失敗というものの中には、成功するまでにあきらめてしまうところにその原因がある場合がきわめて多いように思います。きょうあきらめてしまえば、あすの成功は決してあり得ないのです。

もっとも、いかに辛抱が大事、続けることが大事といっても、何かにとらわれて、いわゆる頑迷に陥るということであってはなりません。一つのものにとらわれるあまり、道にはずれた、自然の理に反するような方向への努力を続けていたのでは、どれほど辛抱強く取り組んだとしても、成果はあがらないでしょう。

しかし、道にかなったことであるかぎりは、ひとたび志を立てた以上、最後の最後まであきらめない。成功とは成功するまで続けることである、ということを、お互い常に心にとどめて、何ごとにも取り組んでいきたいものだと思います。そんなことも、よりよき人生を生きるための一つの大切な秘訣《ひけつ》といえるのではないでしょうか。

自己観照

自分の適性や力を正しくつかもう。そのためには、自分を、他人と接するような態度で、外から冷静に観察してみることである。

お互いが充実した人生を送るために忘れてはならないことの一つとして、自分自身をよく知るというか、自分がもっている特質や適性、力などを正しくつかむ、ということがあると思います。自分を正しくつかめば、うぬぼれることも、卑屈になることもなく、自分の持ち味や力をそのまま発揮することがしやすくなる。そこから人間として好ましい成功の姿といったものも生まれてくると思うのです。

たとえばここに一人、商店のご主人がいるとします。もしその人が、自分の力とか適性とかが分からなければ、自分はこういうことをしてやろうといった信念ももちにくく、とかく人のすることが気にかかります。そして、隣が店を改装したからうちでもやってみようとか、あそこの店ではたくさんの人を雇って成功したからこちらも、といったことになりがちです。そうすると、他の店はうまくいくのに自分の店はうまくいかないということが往々にして起こってきます。それは他の姿にとらわれて、自分の力や適性にそぐわないことをしたり、事の道理を見失ったりするからです。そういうことが重なると、結局は店をつぶしてしまうことにもなりかねません。

ところがそのご主人が、自分というものを正しくしっかりとつかんでいれば、あの店がそうするのなら、うちはこうしようと、自分の店にふさわしい方法がとれて、お店を繁盛させることができると思います。もちろん自分を正しくつかんでいても、それにふさわしい行動をとらなければ、店を繁盛させることはできませんが、自分の力や適性をわきまえていれば、これを実際に生かしていこうと心がけることにもなるでしょうし、そうすればたいていは成功するものだと思うのです。

ところが、天分についての項（38ページ）でも述べましたが、この「自分で自分を知る」ということが、案外むずかしいのです。自分のことなのだから、自分がいちばんよく知っていていいはずなのに、実際には、自分のよさに十分気づかなかったり、反対に自分の実力を過大評価してみたりといったことがよくあるわけです。

しかし、それがいかにむずかしくても、私たちはやはり、自分を正しくつかむように努めていかなくてはなりません。とすれば、そのためにはどうしたらいいのでしょうか。

　これについて私は、これまで〝自己観照〟ということを自分でも心がけ、人にも勧めてきました。それはどういうことかというと、自分で自分を、あたかも他人に接するような態度で外から冷静に観察してみる、ということです。いいかえると、自分の心をいったん自分の外へ出して、その出した心で自分自身を眺めてみるのです。

　といっても、実際に自分の心を外へ取り出すといったことは、できることではありません。しかし、あたかも取り出したような心境で、客観的に自分をみつめてみる。それが私のいう自己観照で、これをすれば、比較的正しく自分がつかめるのではないかと思うのです。

　昔からよく「山に入る者は山を見ず」といいます。つまり、富士山に登っている人には、あの秀麗な富士山の全体像は見えず、穴ぼこや石ころばかりが目につきます。やはりいったん山から離れて、遠くから眺めてみるときに、全体の姿がはっきりと目に映るわけです。お互いが自分を知ろうという場合も、同じことだと思います。

　そして実際、このような自己観照というものは、お互いにあまり意識してはいなくても、日々の生活の中でいろいろやっているのではないでしょうか。たとえば、議論に熱中したり仕事に打ちこんだりしているときに、何かの拍子でハッと気がつき、自分のやっていることを反省したりします。それは、自分を第三者のように眺めているからこそできることだと思いますが、そういうことを、ときにみずから意識して行うことが大切だと思うのです。

そうすれば、完全にとまではいかなくても、自分の天分、適性や力を、ある程度正しくつかむことができるでしょうし、そこから自分というものを真に生かす道、人間として成功する道も、力強くひらけてくるのではないでしょうか。

無用のものはない

この世に存在するものは、すべて人間の生活に役立つものである。この基本認識に立って、一つひとつのものを生かすように努めたい。

最近の科学技術の進歩はめざましく、これまで考えられなかったような新しいものが、次々と生み出され、つくり出されてきています。このような時代においては、それらを使う立場にある私たち人間の知恵を、これまで以上に磨き高めていかなければならないと思います。さもないと、科学の進歩、文明の発展によって生まれてきたせっかくのものが、結局は生かしきれない、ということになってしまうおそれが、多分にあると思うのです。

私は、およそこの世の中にあるものは、人間が人間のためにつくったものはもとより、すべてが人間生活に役立つもので、無用のものは一つもない、それが本来の姿ではないかと考えています。

といっても、もちろんそれは、私たち人間が、現在においてすべてのものを活用できている、ということではありません。今日、私たちのまわりには、役に立たない、あるいは害になるということで捨てられているものが少なからずあります。しかし、それらのものも、将来、人間の知恵が一歩一歩高まっていくことによって、一つひとつ役立つものにしていけるのではないかということです。実際、人間の歴史は、自然万物を次々に活用してきた歩みであるともいえるのではないでしょうか。

たとえば、かつて青カビは、人間にとって害になるものと考えられていました。しかし今それは、病気を治すペニシリンという薬として大いに役立っています。

また石炭や石油にしても、昔は黒い石、黒い水といった程度の認識しかされていなかったのでしょうが、時代が進むにつれて、まず石炭がエネルギーとして活用され、次いで石油も大量に使われるようになりました。さらにエネルギー源としてだけではなく、薬やプラスチックなどの化学製品としても幅広く活用されるようになっています。

それは、科学技術が進歩し、人間の知恵が高まったからにほかなりません。

ですから、将来においても、現在は捨てて顧みないようなものが、人間の生活向上のために次々と活用されるようになると思います。そしてそのように、〝この世の中のものはすべて役に立つ〟という基本認識のもとに、一つでも多くのものをよりよく生かしていくところに、お互い人間の一つの大事な使命がある。また科学技術など学問の存在する意義もあるのではないかと思います。

ところが、このような基本認識、考え方について、最近はいささか力弱いというか、消極的に過ぎる面があるような気がします。というのは、今日の社会には、せっかくいいものが発明されても、それに万に一つでも欠陥があると、もうそれだけでそのものは全部ダメ、としてしまうような傾向が見られます。万に一つの欠陥であれば、あとの九千九百九十九は何ともないわけですから、その万に一つの欠陥を直せばそれでいいはずなのですが、実際には一つの欠点をもってすべてをよくないとしてしまう。そのために、せっかくのいいものが生かされないということが少なくない。これは決して好ましいことではないと思うのです。

冬の味覚の一つとして楽しむ人の多いあのフグにしても、毒があるからと恐れて遠ざけてしまっていたならば、食べることはできなかったでしょう。しかし私たちの先人たちは、どこに毒があり、どのように調理すれば安全かということを積極的に考え、いろいろと研究してきました。そのおかげで、私たちは今日、安心してフグのおいしさを味わうことができているわけです。

また、フグの毒自体も、今は捨てられていても、やがては何かに活用されることになるかもしれません。現に、医療方面で研究がされているとのことですが、その研究が成功すれば、フグはおいしくて貴重だが、その毒はそれ以上に有用だということにもなるでしょう。

そのようなことを考えてみると、科学技術が刻々と進歩しつつある今日、私たちは、フグの安全な調理に成功した昔の人たち以上に、この世に無用のものはないという認識を強くもち、すべてのものの活用を積極的にはかっていかなければならないと思います。日々の生活の中で、お互いの知恵をさらに養い高めつつ、ものを真に生かすよう努めていく。それが人間としての大事な務めの一つではないでしょうか。

物を泣かさず

それぞれの物がもっている価値を正しく認識し、その価値に応じた適切な処遇をしていく。そこにその物を真に生かす道がある。

前項で、この世に存在するものはすべて、人間の生活に役立つと考えられる、したがって、この基本認識に立って、一つひとつの物をできるかぎり生かすよう努めたい、ということを述べました。

それでは、それぞれの物を生かすためには、具体的にどのような心がまえが必要なのでしょうか。物を生かすコツとでもいったものがあるのでしょうか。

そのことに関連して、しばらく前に面白いなと感じた話があります。それは坂田三吉という人についての話です。

この人についてはご存じの方が多いと思いますが、明治の初めに大阪の堺市に生まれ、生涯読み書きができなかったにもかかわらず、独学で八段まで上り、没後に名人位、王将位などを追贈されたという将棋の達人です。

その坂田三吉の一生をテーマにした『王将』という劇の中に、主人公が将棋を指しながら、十分な働きができないでいる一枚の銀の駒を見て「銀が泣いている」とつぶやくシーンがあるというのです。それを聞いて私は、なるほど名人といわれる人の言うことは違うな、と非常に興味をひかれたのです。

いうまでもなく将棋というものは、一定のルールに従いつつ、一つひとつの駒を動かしながら相手の王様を詰ませていくゲームです。ですから、将棋に勝つためには、それぞれの駒の持ち味や特徴というものをよく知り、それをできるだけ発揮させていくことが必要で、そのことをいつの場合にも確実にできる人が、いわゆる名人、上手といわれるのだと思います。

おそらく、坂田三吉という人も、対局のたびにそのことに心血を注いでいたのでしょう。だからこそ、将棋盤の上で、その持ち味を生かされずにいる銀の駒が、あたかもそういう状態を悲しんで泣いているように見えたのではないでしょうか。

つまり、「銀が泣いている」という言葉は、生かしきれないでいる銀をどうすれば生かせるのか、その方法をなんとかして見出さなければ、という三吉の真剣な思いからおのずと出てきたもので、そのとき三吉には、ほんとうに駒が自分に語りかけ、切々と訴えかけているように見えたのではないか。そのように私には思えるのです。

もちろん、私の将棋の腕前は、単に駒の動かし方を知っている程度にすぎません。ですから、坂田三吉のような達人の言葉を勝手に解釈するのは、まことにおそれ多いことだと思います。

しかし、これまでの私の体験に照らして考えてみると、この解釈は必ずしも間違っていないのではないか、そして、三吉がそのような真剣な思い、願いをもって、もの言わぬ駒に対したと同様の態度をもつことが、将棋に限らず私たちの日々の生活のいろいろな面でも必要なのではないか、という気がするのです。

というのは、私がこれまで自分の仕事を続けてきた過程でも、新しくつくった試作品などが、私に何ごとかを語りかけ、訴えかけていると感じたことが少なからずあったのです。それはいずれも、心底、真剣に仕事に打ちこんでいるときで、そういうもの言わぬ品物の声が聞こえてきた、というような場合には、おおむねその試作品を、ほんとうにいい商品にしあげることができたように思うのです。

この世の中にあるすべてのものは、将棋の駒と同じように、それぞれに独自の持ち味や特質をもって、私たちの生活に役立とうと待機していると考えられます。私たちは、それぞれがもっているその特質、価値というものを正しく認識し、その価値に応じて、不足もせず、行きすぎることもない適切な処遇をしていく。そしてその物をほんとうに生かしていくことが大切だと思います。そうしてこそ、お互いの生活のいっそうの向上もはかれるのではないでしょうか。

物を泣かさないために、お互い坂田三吉のような真剣さをもって物に対し、それを生かしきっていく努力を、日々心がけたいものだと思います。

年齢と持ち味

人間はそれぞれ、その年齢によって発揮する持ち味が違う。お互いにその違いを尊重しあい、それぞれの持ち味を生かしていきたい。

六十歳を過ぎるころから私も、どことはなしに疲れやすくなって、体力の衰えというものを感じることが多くなりました。それ以来、自分ではまだまだ元気なつもりでいても、やはり年には勝てんな、と思いつつ、折々に考えてきたことがあります。

それは、いったい人間というものは、年とともにどう変わっていくのだろうかということです。

まず体力はどうかといえば、体力がいちばん盛んなのは、十代の後半から二十代にかけてと考えられます。それはもちろん私の勝手な独断ですが、だいたい三十歳にもなると、もう下り坂になっているような気がします。

たとえば大相撲《おおずもう》の世界でも、三十までに横綱になっていなければ、それからではちょっと無理だ、ということがいわれていますし、また若くして横綱になったとしても、三十歳を過ぎると、その地位を保つのがむずかしくなってくるようです。ですから、体力は一応三十歳がピークだといってよいと思うのです。

それでは知力のほうはどうか。これも私の勝手な判断ですが、知力は三十歳が一番のピークとはいえない。では、何歳くらいがいちばん旺盛かというと、おおむね四十歳といったところではないでしょうか。

四十歳を過ぎると、知力はだんだんと衰えてくる、というのがお互い人間の一般的な姿ではないかと思うのです。もちろん人にはそれぞれ個人差がありますから、例外もあるでしょうが、一応のところはそう考えていいだろうと思われます。

ところで、三十を過ぎると体力が衰えはじめ、四十を過ぎると知力が衰えてくるということであれば、人間は四十を超えると、世の中でその地位を保つことも、仕事をしていくこともできなくなるのかというと、そうではありません。むしろ、さらに高い地位につき、よりすばらしい仕事をしていく人が多いのが実際の姿でしょう。

そこで、なぜそういうことが可能なのかをさらに考えてみますと、いわゆる社会的な構成によるところが大きいように思われます。その人が先輩であるとか、経験が豊かであるとかいうようなことから、若い人を中心とした多くの人から支持される、あるいは敬意を表されるというようなことが生じてきて、それがその人をより高い地位に押し上げ、より大きな仕事をさせているのではないかということです。

実際、五十歳、六十歳になっても、相当の知力を要する仕事に携わって、成果をあげておられる方も少なくありませんが、それはやはり若い人たちの総合的な援助というか、協力を得ているからこそ、可能になっていることでしょう。まったくの裸にして、知力の秤《はかり》、体力の秤にかけてみると、六十歳の人は四十歳、三十歳の人に劣るのではないかと私は思うのです。

そこが世の中のたいへん面白いところで、相撲のように個人の総合的な力というものが、はっきりとは現われないところに、非常な妙味、面白味があるわけです。ですからお互いの人生においては、こうしたことの認識がやはりきわめて大切だと思います。

たとえば、五十、六十になって、なおかつ社長という責任ある地位にあり、その仕事を遂行して立派に成果をあげておられる方でも、これはその人一人だけの力で、そういう姿を生み出しているのではない。やはり、その人の部下というか、三十歳、四十歳の、周囲の人たちの協力があり、その上にみずからの経験を働かせているからこそできているのだ、ということをよく知らなければなりません。

　また、三十、四十の人たちも、自分たちのもてる力がより生かされるのは、先輩たちの豊かな経験に導かれているからだということをよく知る。加えて、やがては自分たちも年をとり、将来は自分たちもこの先輩たちと同様の立場に立つのだということを考えて、その経験を学んでいこうという姿勢をもつことが大切だと思います。

　このように、豊かな経験、旺盛な知力、体力というように、それぞれが発揮する持ち味は年齢によって違いますが、老いも若きも、その年齢による違いを尊重しあい、それぞれを生かしあっていく。そういうところから、より力強い社会の働きというものも生み出されてくるのではないかと思うのです。

女性と仕事

男女にはそれぞれ異なる特質、役割がある。その違いを正しく知り、それぞれに本来の役割を果たすところに、真の平等がある。

最近はよく、男女の平等といったことがいわれ、昔に比べて職業をもつ女性が増えてきました。そうした姿は非常に意義のあることで大いに結構なことだと思います。

ただ私は、この平等ということは、男女の平等に限らず、だれもが何もかも同じということではないと思います。人にはだれにも、他人とは異なった独自の天分、特質が、それぞれに与えられ備わっていますが、平等ということは、独自の特質がだれにも同じように与えられているという意味で平等なのであって、与えられている特質がみな同じということでは決してない。ですから、男女の平等といっても、それは男と女が、何もかも同じように考え、行動すべきだ、というのではなく、それぞれの特質、役割が男女ともに十分発揮されるようにしていく、ということでなければならないと思うのです。

実際、男性と女性の特質、役割には、おのずと異なったものがあると考えられます。それは、お互い人間の日常生活の姿からも明らかでしょう。

人はだれでも、男性にせよ、女性にせよ、生涯一人で暮らすのが本来の姿かといえば、そうではないと思います。何らかの考えから、自分は生涯独身で過ごすという人もなかにはあるでしょうが、それはどちらかといえば例外で、一般には男女が一対となり夫婦として暮らすのが普通の姿であり、それが人間本来の姿でもあるのではないでしょうか。

そうだとすれば、その夫婦のあいだで、出産、育児という役割を果たす天与の特質をもっている女性と、そうでない男性とでは、その役割はおのずと異なってくるでしょう。つまり、主として男性は外に出て働き、女性は家を守り治めるという役割を担うことになります。そのようにして夫婦が一体となり、健全な家庭を築いていくことが、社会全体の発展をも支える人間本来のあり方ではないかと思うのです。

ところが、過去の日本においては、いわゆる男尊女卑的な考え方があって、そこからなにか外に出て働くことを尊び、家を守り治めることを軽視するような風潮が、一面に見られました。しかしこれは大きな間違いだと思います。外で働くか内で働くかは、どちらかを重視し、どちらかを軽視すべきものではなく、両方がともに同じように尊いわけです。

もちろん男女の役割分担については、双方が同じ役割を果たし、同じように仕事を分担すべしという考え方も成り立ちましょう。しかし、現実の問題としては、出産とか授乳といったことは男性にはできませんし、もし女性に、出産、育児といった役割に加えて、男性と同じ役割をも担わせるとしたら、それはきわめて過重な負担を強いることになってしまいます。

ですから、やはり男女は、本来、異なった役割を負っており、その役割はどちらも同じように尊いのだと考えるのが、自然で素直な考え方ではないかと思います。また、そういう考え方を基本において、それぞれの役割に生きていくところに、真の幸せというものもあるのではないでしょうか。

しかしそれは、女性は外で働くべきではない、ということでないのはいうまでもありません。先ほど述べたように、職業をもつ女性が増えてきていることは、非常に意義のあることだと思います。最近は、社会が進歩し多様化するに伴って、女性に適した仕事、また女性でなければできない仕事もいろいろ生まれてきています。そういう仕事は、それにふさわしい女性にやってもらうことが、女性の特質を生かすためにも、社会のためにも大事だと思います。また、女性が実社会を知るという意味から、結婚までの一時期、社会に出て職業をもつことも、それなりの意義があり、好ましいことでしょう。

ですから、これからも、女性が社会に出て職業につくことは大いに結構なことだと思うのですが、そこにはやはり、人々が女性本来の役割を正しく知って、これを適正に評価するという姿がなければなりません。女性は本来、家庭にあって家を守るということが大切で、そのことの意義と重要性が、社会全体としてもっと適正に認識され、高く評価される必要がある。そういうことを前提として、女性の社会進出が進められていくべきだと思うのです。

そういうことが、真の男女平等ということにも通じているのではないかと思うのですが、どうでしょうか。

親の責任

親がしっかりとした生きる姿勢をもつこと、人生観を確立すること。そこから、子どもに対しての十分な説得力も生まれてくる。

〝親になるのはやさしいが、親であることはむずかしい〟という言葉を聞いたことがあります。どなたが言い出されたのか知りませんが、確かにそのとおりの一面があると思います。そして、その親としてむずかしいことの最たるものが、子どものしつけ、教育というものではないでしょうか。

昔から「三つ子の魂百まで」とか、「鉄は熱いうちに打て」とかいわれますが、お互い人間が一人前の立派な人間として成長していくためには、生まれてからおとなになるまでに、人間として大切なことを、しっかりしつけられ教えられるということが、どうしても必要です。人間としての生き方というものは、だれからも導かれずして自然に養われるというものではありません。どのような偉人であろうと、やはり子どものうちに、人間としての正しい方向づけがなされる必要があるわけです。

そうした子どもたちに対する方向づけというものは、広くは、その時々に生きるおとな全体が果たすべき役割であり責任であるといえましょう。しかし、直接的にはやはり、日々子どもに接している親が、いちばん大きな責任を負っています。したがって親であるかぎりは、この責任を子どもに対するしつけ、教育というかたちで、どうしても果たしていかなければなりませんが、これがなかなかむずかしい。そのために、昔の商家などでは、自分の子を他のしかるべき店に預けて教育してもらうといったことがよく行われたわけです。

私自身も、一人の父親として、その役割を担う立場にあったのですが、ふり返ってみると、自分の事業なり仕事に専心してきた結果、子どものしつけ、教育についてはすべて家内に任せきりだったというのが正直なところです。したがって、子どものしつけ、教育についてあれこれ言う資格はないように感じますが、自分なりに一つきわめて大事だと考えていることをあえて述べてみたいと思います。

それは親自身が一つの人生観なり社会観というものをしっかりもつということです。

私は、親が直接的に子どもに「こうしなさい」「こうしたらいけない」といったように教えたりしつけたりすることはきわめて大切だと思います。しかし、それとともに、あるいはそれ以上に必要なのが、このことだと思うのです。親にそういうものがあれば、それが信念となって、知らず識らずのうちにその言動に現われ、それが子どもに対する無言の教育になっていくでしょう。そういうものをもたずして、いくら口先だけで、「ああしなさい、こうしなさい」と言ったとしても、それは、何も言わないよりはいいにしても、十分な効果があがるかどうかは疑問だという感じがするのです。

ですから、親となった以上は、その良否はむろんあるにしても、何らかの人生観、社会観をみずから求め、生み出さなくてはいけないと思います。

そのことは、もちろん、父親、母親のどちらについてもいえると思いますが、やはり、どちらにより必要性が高いかといえば、父親のほうではないでしょうか。最近の父親は、私の場合と同様、子どもに接する機会が少ない人が多いようですが、そういう場合でも、父親に人生についてのそれなりの信念があれば、母親もそれに準じたものをもつようになってくると思います。しかし、父親に確たる信念がないと、母親にもそれが生まれにくい。それでは単なる感情的な愛情によって子どもを育てるといった面が強くなるでしょう。もちろん、母親としてそういった愛情も大事でしょうが、それだけでは子どもも教えられるところが少ないため、欲望が善導されないままに成長してしまうということになりやすいと思います。

昨今の世の中を見ていますと、どうも、この人生観に弱いものがあり、親自身が迷っている。そこに青少年の好ましからざる姿が起こる一因もあるように思えてなりません。

価値観多様化の時代といわれ、それぞれの人生観を確立しにくい時代ではあっても、やはり親自身が日々、みずからの生き方を求め、生み出していかなければならない。そこに、子どもをしつけ、教育するという、親としての責任を果たす出発点がある。またそこに、親みずからもよりよく生きる道があると思うのです。

人生を生ききる

今という時は、この瞬間しかない。この一瞬一瞬をせいいっぱい生きる積み重ねが、充実した人生をつくり、若さを生み出すのである。

今からもう十数年も前になるでしょうか、あるご縁で、彫刻家の平櫛田中《ひらくしでんちゅう》さんにお目にかかる機会に恵まれたことがありました。

平櫛さんは明治五年生まれ。明治、大正、昭和の三代にわたってわが国木彫界の第一人者として活躍された方で、お会いしたときはもうすでに百歳近く、私も七十半ばを過ぎていたと思います。そのとき平櫛さんがこんなことを言われるのです。

「松下さん、六十、七十は鼻たれ小僧、男盛りは百からですよ。だからわしもこれからですよ」

平櫛さんも私も、常識的に見れば、隠居をしていてもおかしくない年齢だったわけですが、こう言われる平櫛さんに〝まあ、ずいぶん気持ちの若い人だなあ〟と驚きもし、感心もしたのです。聞くところによると、これは平櫛さんのいわば口ぐせで、このほかにも「今やらねばいつできる。おれがやらねばだれがやる」というような言葉を好んでおられたそうです。

ところがそれから数年後、平櫛さんが満百歳になられたとき、向こう三十年分の木彫用の木材を庭に積んでおられるということを、ふとしたことから知りました。

初めてお目にかかったときに、〝ずいぶん気持ちの若い人だなあ〟ということは感じていたものの、百歳を超えてなお三十年分の木彫用木材を積んで作品制作への意欲をもち続けておられるということからすると、「男盛りは百から」と言われたのも、口先だけのことではない。やはりほんとうに自分の芸術を完成させるには、あと三十年間は木を彫り続けなければならないのだという、執念ともいえる強い思い、熱意をもっておられるのだなということを、あらためて感じさせられたのでした。

実際、平櫛さんは百歳を超えてからも創作活動に励まれたわけですが、満百二歳になられたときに、月刊誌『ＰＨＰ』に短い文章を寄せていただいたことがあり、その中でも、「もう少し長生きしないと、私の義務が果たせない作品があるのです。五、六点、いやずっとせばめても四点は作らなければなりません。

最近この四点以外に一つまとめてみましたが、それには手こずりました。三年かかりましたが往生《おうじょう》しました。苦しんで苦しんで、そして私の修業がウソだったということを痛感しました。習い始めの時分、五年なり十年なりは、どんなことがあってもその物、を木に移すことを根本にしなくてはなりません。それが私にはできていなかったのです。言わば器用にやっていたのです」

と、言われているのです。

私はこの文章を拝見し、非常に胸打たれるとともに、大きな励ましを受けたように感じました。

というのも、二十二歳も年長の平櫛さんが、百歳を超えてなおみずからの仕事に旺盛なる意欲で取り組んでおられるばかりでなく、自分の修業のいたらなさを反省し、さらに木彫の道を究めていこうとしておられる。その真剣な姿がこの文章からひしひしと伝わってきたからです。

平櫛さんは、残念なことに昭和五十四年十二月三十日、百八歳の誕生日を目前に、三十年分の木材を使いきることなく亡くなられました。しかし、木材は残したとはいえ、最後の最後まで仕事への情熱、意欲をもち続けられたことからすれば、立派にみずからの人生を生ききった人、生命を燃焼し尽くした人といってよいのではないでしょうか。

考えてみれば、百歳を超えてもあれだけお元気で若々しかったのは、自分のなすべきことに向かって、「今やらねばいつできる。おれがやらねばだれがやる」と、今という一瞬一瞬をせいいっぱい生きておられたからだという気がするのです。

お互いだれでも、自分の生命がいつ尽きるか、それは分かりません。しかし、その最後の瞬間まで、なすべきことをなしつつ生きたいとの願いをもっていると思います。しかし、それを実際の人生において現実のものとしていくことは、なかなか容易なことではありません。私自身も九十歳を目前にして、そのことのむずかしさをときおり感じていますが、そんなお互いにとって、平櫛さんの生き方は、大きな得がたい励ましを与えてくれるものといえるのではないでしょうか。

〝生きがい〟ということ

仕事は人生において非常に重要な位置を占めている。その仕事に生きがいを見出せるか、そこに幸せな人生へのカギが隠されている。

人間としてこの世に生を享《う》けた以上、やはり生きがいの感じられる人生を送りたい、というのがお互いだれしもの願いでしょう。これといった生きがいももたず、ただなんとなく毎日を過ごすということでは、決して幸せな人生とはいえないと思います。それでは、その生きがいをどういうところに求めるかということになりますが、これは現実にはいろいろな姿があるでしょう。ある人は趣味とかスポーツが生きがいだというかもしれません。あるいは、自分の生きがいは家庭であるとか、子どもの成長だという人もあるでしょう。また、お金をためることだとか、おいしいものを食べることを最大の生きがいにする、という人もあると思います。

生きがいというものは、そのように人それぞれにいろいろあると思いますし、またいろいろあっていいと思います。

ところで、これまでの私の生きがいは何だったのだろうかと考えてみますと、その時々でいろいろに変わってきているように思います。

満九歳の年に家の事情で大阪へ奉公に出た私は、数年間いわゆる小僧としての経験を積みました。奉公に出た初めのうちは、故郷の母親恋しさに毎晩枕を涙でぬらすというような姿でしたが、だんだん仕事にも慣れてくると、いずれは自分もせめて番頭さんにはなって、たとえ五、六人でも小僧さんを指導して、何らかの成果を生み出すようになりたいといったことを夢見、朝早くから夜遅くまで、時のたつのも忘れ、汗水たらして働くようになりました。

当時は、〝生きがい〟などということはあまりいわれてはいないようでしたし、また私自身幼く、特に考えたり、意識したことはありませんでしたが、今にして思えば、そのように多少なりとも心に期するものをもって仕事に打ちこむ中に、満足感を味わっていたわけで、それはそれなりに、一つの生きがいを感じていた姿であったといえるでしょう。

その後、電灯会社に勤め、配線工としての仕事に携わりましたが、そのときはそのときで、職工として腕を磨いていい仕事をしたい、そしてみんなから重んじられるようになりたいということで、一生懸命努力しました。そして、いろいろなむずかしい工事に取り組み、ときには徹夜までもしてやり遂げていくところに大きな喜びを感じたものでした。

それから、二十二歳のときに独立し、ごくささやかながら、電気器具製造の事業を興しました。事業を始めた当初は無我夢中で、その日その日を誠実にせいいっぱい働きました。そうした中で、夏の日に夜遅く仕事を終えてタライにお湯を入れ行水《ぎょうずい》をつかいながら、〝われながら、ほんとうにきょうはよく働いたな〟と自分で自分をほめたいような充実感を味わったことを今でも覚えています。

また、会社が大きくなってからは、会社の仕事を通じて人々の文化生活を高め、社会の発展に寄与、貢献していくことを使命とし、それを社員の人とともに達成していくところに自分の生きがいを感じつつやってきました。

このように私の生きがいというものは、決して終始一貫して同じだったというわけではなく、その時々でいろいろ変わってきました。しかし、私はそれはそれでよかったのではないかと考えています。

世の中には、一生を通じて一つのことに打ちこみ、そこに生きがいを求め続ける人もいます。宗教家や芸術家といった人たちの多くはそうだといえるでしょう。それは非常に立派な姿だと思います。しかし、すべての人がそうでなければいけないというわけではない。ある時期にある一つのことに生きがいを見出し、それがすむと、また新たにつぎの生きがいを求めるということも、それはそれで意義のあることだと思うのです。

しかし、ここで一つ考えてみたいのは、仕事というものについてです。いうまでもなく仕事は、お互いの人生において、時間的にも経済的にもきわめて重要な位置を占めています。そうしてみると、生きがいは多様であってもいいとはいうものの、自分の仕事に生きがいが感じられるかどうかということは、お互いの人生において、場合によっては、その幸不幸を左右するほどの大きな意味をもっていると考えられます。

したがって、趣味を楽しむことも、家庭を大切にすることも、その他いろいろな面で生活内容を多彩にしていくことも、それぞれに意義深く大切なことだとは思いますが、その中心にというか、その根底に、仕事に打ちこみ、仕事に喜びと生きがいを感じられるということが、やはりなければならないような気がします。むろん、仕事だけが生きがいであるべきだ、などとは考えませんが、少なくとも仕事も一つの大きな生きがいである、というようになることが、お互いの人生をより充実した幸せなものにしていく上で望ましいことではないかと思うのです。

よき人生とは

人生とは生産と消費の営みである。日々、物心ともによき生産とよき消費を心がけることが、充実した人生に結びつく。

私たちが今生きている人生は、それぞれに自分だけにしか歩めない、また二度とくり返すことのできない貴重なものです。それだけに、これをより意義深いものにしたいというのがだれしもの願いだと思いますが、その実現のためには、やはりまず、人生とはどういうものか、ということについての正しい認識が必要でしょう。人生とは何かということが、ある程度はっきりつかめてこそ、よりよき人生をめざす努力も具体的で力強いものになり、実際の成果もあがってくると思うのです。

この〝人生とは何か〟ということについて、PHPの研究を始めてまもないころに、あれこれと考えたことがありました。

人生というと一般には、いわゆる人間の一生、つまり生まれてから死ぬまでのあいだのことと受け取られていますが、それは細かく見れば、一日一日、一刻一刻の日常生活の積み重ねであるとも考えられます。したがって、私たちの日常生活をありのままによく考察するならば、それによっても人生の何たるかをつかむことができるでしょう。

そこで私は、そういう観点からいろいろ検討した結果、人生とは、ということについて、自分なりにつぎのように考えてみたのです。それはごく端的にいうと、〝人生とは、生産と消費の営みである〟ということでした。

ふつう生産と消費といえば、経済活動の一面と考えられていますが、ここでいう生産と消費とは、単に物を生産し消費するということではありません。もっと広く、人間の心の営み、精神的な活動をも含んだ、物心両面にわたる生産であり消費のことです。そういうものが人間の日常生活の基本であり、またお互いの人生そのものではないか、と考えたのです。

あれからもう三十年以上がたちますが、私のこの考え方は今も変わりません。実際、私たちの人生は、生産と消費以外の何ものでもないのではないでしょうか。

というのは、私たちは毎日、一方でいろいろな物資を生産し、同時に他方でさまざまな物資を消費しています。そしてその物資の生産と消費にあたっては、必ず何らかのかたちでみずからの心を働かせています。物をつくるにしても、まずどういう物をどのようにつくるかを心に描きますし、その上でいろいろと創意工夫を重ねます。これは精神面での生産活動といえましょう。また物を使い、費やす場合も、その価値をはかり、味わうというような精神面での消費活動を、常に伴っています。したがって、お互い人間の日常生活、さらにはその積み重ねである人生は、すべて物心両面にわたる生産と消費の営みから成り立っている、ということができると思うのです。

そう考えれば、私たちが、よき人生、意義ある人生を送るためには、その物心両面の生産と消費とを、きのうよりきょう、きょうよりあすへと、好ましい姿で実践していくことが大切、ということになります。すなわち、政治家であれば政治活動の上で、教育者であれば教育活動の上で、といったように、それぞれの人がそれぞれの分野で、よき生産とよき消費を心がけ、実践していくということです。

そうすれば、社会全体に好ましい発展、向上の姿が生まれてくるでしょう。また、それぞれの人についても、よりよき人生、悔いのない意義ある人生への道がひらけてくるのではないでしょうか。

人生の意義とか目的というと、お互いにとかく高尚でむずかしいものと考えがちです。

しかし、人生というものを、これまで述べてきたように、日々の活動を通じての物心ともの生産と消費の営みであると考え、それをよりよきものにしていくことがよき人生への道であると考えるならば、それがずいぶん身近なものになってくるのではないでしょうか。

少なくとも私の場合は、きょう一日の自分の活動が、よき生産でありよき消費であったかを省みることが、私なりの人生の充実ということにつながっていた気がするのです。

天寿を全うする

希望と勇気をもって、一生懸命に人生の歩みを続け、みずからに与えられた天寿をせいいっぱい生かしきりたい。

私は今年、九十歳になります。

生来、どちらかといえば蒲柳《ほりゅう》の質で、電灯会社に勤めていた二十歳のころに肺尖カタルを患い、その後独立して自分で仕事を始めてからも寝たり起きたり、医者の手を煩わすことが多かった私は、自分でもそう長生きできるとは思っていませんでした。ところが戦中戦後の無我夢中で働かざるを得ない時期を経て、いつのまにか寝こむことも少なくなり、驚くほど健康体になった。そして九十歳の今日も元気であれこれの仕事ができているのです。思えばほんとうにありがたいことと感謝のほかありません。これはやはり、私がそういう寿命に恵まれていたというか、そういう運命のもとにあったということでしょう。

それにつけても思い出すのは今から三十四、五年前、五十五、六歳のころのことです。

ある人に勧められて易者に手相を見てもらったことがありました。当時は、敗戦直後の混乱が多少落ちつきつつあったとはいえ、なお厳しい社会情勢でしたし、その中で私自身も、会社の再建をはかろうにも占領軍のいろいろな制約※があって思うにまかせず、あれこれと思い悩むことの多い日々でした。そんなときであったからでしょうか、人に勧められるままにその気になって、〝当たるも八卦《はっけ》、当たらぬも八卦〟といわれる手相を、同時に三人の易者に見てもらったのです。

するとそのうちの一人が、私の手相を見るなり即座に「あなたは長生きする。とにかく長生きできる」と太鼓判を押してくれました。またつぎに見てもらった人も「あなたは七十や八十で死ぬ人ではない」と、明言してくれます。さらに残った一人も「今まであなたのような手相の人を見たことがない。これは長生きしますよ」ということで、いうなれば三者三様に、私が長生きできるということを保証してくれたのです。

さきに述べたように、当時の私は、若いころに比べるとかえって丈夫になったようだと感じてはいたものの、その易者の人たちの言葉は実に意外で、喜ぶよりあきれるという気持ちのほうが強かったように思います。そういう予言を得たことは、うれしいことにはちがいないけれども、どうも信じがたいという気がしたのです。

ところが、そのとき、二、三の友人が私と一緒に手相を見てもらったのですが、その人たちにはみな、いわくがつくというか、注文がつきました。そのことを易者の人たちは、私の手相を例にとって説明しているのです。「あなたは、ここが松下さんのようになっていないから」とか、「このへんが松下さんと比べてよくない」とかいった具合です。

そして驚くべきことに、その後、このときにいわくをつけられた友人たちは、みな私より先に亡くなってしまったのです。私自身は、特に手相というものを信じるわけではありませんが、そういう友人の死というものを聞くたびに、一種複雑な感慨を覚え、なんとなく易者の人たちの言葉を信じたいという気になったものでした。

そんなこともあって私は、自分が今日まで長生きできたのは、そういう寿命に恵まれていたおかげだと感謝する気持ちが強いのですが、この人間の寿命というものは、やはり基本的には人知を超えたもので、自分が何歳まで生きられるかは、だれも分からないものだと思います。その意味で、人間の寿命は、いわゆる天命であり天寿であるということになりましょう。

しかし、だからといって、寿命というものは全面的に天寿や天命によって決まるのかというと、必ずしもそれだけではないようにも思います。そこにはある程度、人間の力というか努力によって決まる一面も含まれているのではないでしょうか。いうなれば、人命、人寿とでもいった部分も、寿命の中には含まれているように思うのです。

運命に関する項（26ページ）で述べましたが、私は、お互いの人生は、八〇パーセントないし九〇パーセントまでは天の摂理によって定まっているのではないかと思います。しかし、あとの一〇なり二〇パーセントの人事の尽くし方いかんによって、その運命にいっそうの光彩を加えることができる――そう考えるのですが、お互いの寿命についても同様のことがいえるのではないでしょうか。つまり、人間の寿命のうち、九〇パーセントくらいが天寿、あとの一〇パーセント程度が人寿で、したがって、ある程度は人為によって寿命が延びたり縮んだりする一面があるのではないか、ということです。

そうだとするならば、人間に与えられている天寿というものはどのくらいか、ということが大きな問題になりますが、これについては先年中国へ行ったときに、お会いした何人かの人たちから、〝中国では人間の寿命は百六十歳だとされ、だからその半分の八十歳のことを半寿というのだ〟という話を聞きました。また、ある科学の本には「寿命を縮めるあらゆる障害を除き、真の寿命を全うすれば、人間は百五十年から二百年は生きられるのではないか」と書かれているそうです。さらに、わが国でこれまでいちばん長生きした人の記録としては、百二十四歳の男性がいたということも聞いたのです。

そういうことからすれば、私自身の寿命も、これまで長生きできたことに感謝しつつさらに努めていけば、まだまだ延ばすことができるのではないか、という感じがします。そこで、実は昨年、数え年で九十歳になったのを機に、よし、ひとつ、自分は長寿の日本新記録に挑戦してみようと思い立ちました。そのためには、目標を百三十歳くらいにおいて、常に自分で自分を励まし燃え立たせつつ、日々なすべきことに取り組まなければ、と考えて、自分なりに努めている昨今です。

はたしてこの目標がどこまで達成できるかは、もちろん分かりません。しかし、分からないなりに、ともかくも一生懸命、希望と勇気をもって人生の歩みを続けることが、自分に恵まれたせっかくの寿命を生かしきる道であり、その道をとることが、私自身の務めでもあるのではないかと思うのです。

※ 松下電器と松下幸之助は、連合国軍総司令部（ＧＨＱ）から財閥家族の指定、公職追放の指定など七つの制限を受けた。

社員心得帖

まえがき(旧版)

今日の産業界は、きのうまで時代の先端を切っていた知識や技術が、きょうはもう過去のものになってしまうといったことが少なからず起こるほどの、急激かつめざましい伸展を遂げつつあります。しかもその変化は、今後、ますます速く大きくなっていくものと考えられます。したがって、今日のビジネスマン、社員の人たちには、そうした刻々の時代の進展に十分対応できるよう、絶えずみずからを磨き高めていく努力が求められているといえましょう。

それは一面、たいへんといえばたいへん、むずかしいといえばむずかしいことです。しかし、そのような課題にみずからすすんで意欲的に取り組み、実力の向上をはかっていくところからこそ、社員としてのいっそうの仕事のしがい、生きがいといったものも生まれてくるのではないでしょうか。

仕事というものは、本来、きわめて奥行きが深いもので、やればやるほど豊かな味わいが出てくるものです。つまり、〝きょう一日、自分ながらよくやった〟と、自分で自分をほめられるほどに一生懸命仕事に取り組む日々を重ねていってこそ、自分の実力が向上し、仕事の成果も高まります。また、その仕事を通じ、企業の活動を通じて人々の役に立つこともできて、社員としての喜びや生きがいといったものを、より豊かに味わうことができるのだと思うのです。

本書は、企業に働く社員の方々にとって大切と考えられる心得のいくつかについてまとめたものです。それらは私が、これまでの会社生活の中で、折にふれて考え、社員の人たちにも話してきた事柄ですが、いずれも平凡といえば平凡、当たり前といえば当たり前の、ごく基本的なことともいえましょう。しかし、今日が激動の時代であればこそ、よりいっそうそうした基本的な心得の着実な実行が大切だとも考えられます。そのような意味で、刻々と伸展する産業界にあって活動する社員の方々の自己啓発のために、そして充実した人生に結びつく力強い仕事の遂行のために、私なりの体験が、いささかなりともお役に立つならばと願っております。

なお、社員の心得として大切なことは、本書に示したことのほかにもいろいろあると思います。私自身、『商売心得帖』『経営心得帖』あるいは『実践経営哲学』『指導者の条件』などの著書において、そうしたことについて記してきておりますが、これからの日本さらには世界の経済を力強く支える社員としての実力を養い高める過程で、それらについてもあわせご高覧いただけるならばまことに幸いです。

昭和五十六年八月

松下幸之助

第一章 ● 新入社員の心得

運命と観ずる覚悟を

新入社員として会社に入ったら、まず何よりも〝自分がこの会社に入社したのは、一つの運命である〟というような覚悟をもつことが大切だと思います。

学校を卒業し、就職するにあたっては、それぞれに、親や先生、先輩などにも相談しつつ、自分の志望の会社を決めたと思います。また、会社は会社で、〝こういう人が必要だ〟ということで採用を決定します。ですから、会社に入るということは、そういう双方の意志が一致したことによって実現したものだ、ということができると思うのです。

けれども、考えてみますと、その会社で働きたいという人でも、いろいろな事情でその願いがかなわない場合があります。また、会社が〝こういう人にぜひ来てほしい〟と思っても、それがその人の都合でできないということもあるわけです。そういうことからしますと、会社へ入るということは、その会社を志望する人と会社の双方の意志によって決定されると一応はいえるわけですが、ただそれだけではなく、そこに双方の意志がそのように一致し、結ばれるような、目に見えない大きな力が働いているといえるのではないでしょうか。それは一つの運命であるとも考えられます。

たとえていえば、私たちはこの日本の国に生まれ、日本人として育ち、今後も日本人として活動していくわけです。それは自分の意志でそうなったのかというと、そうではありません。私たちが日本人として生まれついたことは、自分の意志ではどうすることもできない、それを超えた、いわば運命ともいうべき大きな力の働きによるものだといえましょう。

それと同じように〝自分がこの会社に入り、一社員として仕事をするようになったことは、一面自分自身の意志によるものではあるが、それ以上に、そのように運命づけられていたのだ〟とは考えられないかということです。

運命などというと、若い人の中には反発を感じる人もあるかもしれません。しかし、もしそのように考えることができたら、その人のその後の会社生活の上に、非常に力強いものが生まれてくると思います。

新入社員として会社に入り、それから何十年か勤務する。その過程においては、いろいろな困難にぶつかったり、煩悶したりすることも起こってくるでしょう。特に責任ある地位につき、部下をもつというような立場に立てば立つほど、そうした問題は増えてくると思います。それはお互いが仕事をしていく上で避けられないことです。ただ、問題は、そのときにどの程度悩み、どの程度苦しむかということです。その程度によっては、悩みや困難に負けてしまう人もあれば、そういうものを克服してさらに大きく成長していく人もいます。

そのときに、ここに述べたような一つの運命観というか覚悟を、ある程度もっていることが、私は非常に重要だと思うのです。〝これはおれの運命なんだ〟という覚悟ができれば、そこに度胸がすわり、力強い信念が生まれてきます。そうなれば、それまで困難だと思っていたことに対して、〝そうではないんだ。これは自分が向上していく過程においての一つのプラスになるんだ〟というような心がまえで臨むこともできるでしょう。そういう人こそ、どんな困難に出合っても、それを切り抜けていくことができる、いわゆる大事に臨んで役に立つ人だといえるのではないでしょうか。

そういう大事に役立つ人になれるかどうか、その一つの大きなカギは、まず会社に入ったことの意味をどう考えるか、いいかえれば、それを運命と観ずることができるかどうかというところにあると思うのです。

会社を信頼する

新入社員として欠くことのできない大切なことの一つに、会社を信頼するということがあると思います。

多少の予備知識はもっているとしても、入社したばかりでは会社の様子もまだ十分には分からないでしょうし、仕事も不慣れ、先輩も知らない人ばかりですから、何かと不安をもつことが少なくないと思います。しかし、基本的には会社を信頼し、そこに一つの安心感をもって仕事に取り組んでいくことが大事だと思うのです。

というのは、会社にしても、先輩にしても、新入社員の人に悪《あ》しかれという考えは少しももっていません。反対に、非常な期待をもって新入社員を受け入れ、すべてよかれと思って、いろいろ教えたり、注意したりするわけです。

実際、会社というか経営者は、新入社員の成長を、いわば一日千秋の思いで待ち望み、見守っているのです。そして、ただ待ち望み、見守るだけでなく、その人を伸ばしていくことに熱意をもって、真剣な努力をします。せっかく入社した新入社員の人が、ただなんとなく働いて日を過ごしているということでは、その人自身もつまらないでしょうが、それ以上に会社は、そのことに対して耐えがたい苦痛を感じるものなのです。きょうよりあす、あすよりあさってへと、少しずつでもその人が成長していくということを、どの会社でも希望し、そのための努力を惜しみません。もし、そういうことを怠るようであれば、それは会社としての責任を果たしていない姿であり、それでは会社自体としての発展もできにくいと思います。

結局それは、会社が世間からそのようなことを要望されているということです。会社は一般大衆から、国家から、また広くは世界から、いろいろな要望なり期待を寄せられており、その要望、期待にこたえていくためには、やはり経営者はもちろん新入社員も含めたすべての社員が、一日一日と成長していくことが不可欠の条件であるわけです。

数ある会社、多くの先輩の中には、例外もあるでしょうが、しかし新入社員の人は、基本的にはそのように社員の成長を願っている会社というものを信頼し、〝自分もよき社員として成長し、会社の仕事を通じて社会に奉仕していこう〟という考えをもつことが大切で、それが結局は、自分自身のプラスにもなることだと思うのです。

成功する秘訣

会社に入って、将来必ず重役になれるというと少しいいすぎかもしれませんが、少なくとも部長には間違いなくなれるという秘訣があります。それは入社一日目に、会社から家に帰ってきたときに、家族の人にどのように報告するか、というところから始まります。

初めて会社に出勤したその日には、式典があったり、社長や幹部の訓辞があったりするでしょう。また会社の内容や勤務についての説明もあると思います。それを聞いて家に帰ると、ご両親や家族がたいてい「会社の感じはどうだった」と尋ねるでしょう。そのときに、どう報告するかがきわめて大切だと思うのです。「あんまり感心しない会社だ」などと言えば、ご両親は非常に心配します。「まだよく分からない」と言っても、やはり心配が残るでしょう。「詳しいことは分からないけれども、きょう、社長や幹部の人からいろいろ話を聞いてみると、自分はなんとなくいい会社のように思う。満足して働くことができそうだ。だからここで、大いに仕事をしてみたい」と力強い言葉で報告したら、ご両親も「それは結構だ。大いにやりなさい」と喜びもし、安心もすると思います。そういう報告ができるかどうか、それが成功へのまず第一の関門です。

何でもないことのようですが、そういうことが言えない人は、私は成功しにくいと思います。〝そんなことは言わなくても、両親は分かっている〟などと決して考えてはいけません。自分で本心から、つまらない会社に入ったと思っているのであればともかく、大きく予想に反したことがなければ、〝これは安心だ。しっかりやろう〟という心意気をまず言葉にして、第一声として両親に言うことです。私はそういう心がまえから、すべてが生まれてくると思うのです。

そのように勤務を始めますと、やがて友だちにも会います。友だちも、おそらく「君の会社はどうか」ときくでしょう。「ぼくは非常にいい会社に入ったと思って喜んでいるんだ。こういう点がいいんだ」「そんなに君のところはいいのか」「そうなんだ。ぼくは一生この会社で、仕事に打ちこむつもりだ」。そういう返事をすると、友だちも「あいつは、たいしたもんだな」ということになります。友だちをも感化することになるわけです。

あるいは親戚にも行くでしょう。そのときも同じように話す。そうすると「おまえのところは何をつくっているのだ」「うちはこういうものをつくっています」「そうか、そんなにいい会社なら、今度からおまえのところのものを使うようにしよう」ということにもなりましょう。その人の言動によって、家族、友人、知人の頭に、会社のいい印象が残るわけです。それが人から人へと伝わって、会社の評価が高まり、販売を増やすことにもなる。世の中というものには、そういったところがあるのです。

ところが、そういう簡単なことをやらない人が案外多いのです。私も長いあいだに他の会社の社員の人たちにずいぶん会いましたが、「うちの会社は面白くない」というような不平を漏らす人は多くても、「非常にいい会社で、私はここで一生懸命やろうと思っています」というような人は少ないのです。しかし、不平不満に終始する姿からは、建設的なものは決して生まれてはきません。

ですから、会社をほめるという態度、心がまえに終始している人は、必ずどこの会社にあっても注目されます。会社はそのような人を切実に求めているからです。とすれば、その人を部長、重役にせずして、だれをするのでしょうか。その人は、求めずして、重役の地位についていくことにもなろうかと思うのです。

ひとつだまされたと思って、さっそく実行してみてください。

無理解な上司、先輩

新入社員は、初めはだれでも、上司、先輩について仕事を教えてもらいます。その場合、当然のことながら、上司、先輩にはいろいろな人がいます。人格的にも仕事の面でも非常に立派で、親切だし、文字どおりかゆいところに手が届くような指導をしてくれるという人もいるでしょう。その反対に、人柄もちょっと感心しないし、指導もあまりよくはしてくれないという人もあると思います。

その場合、どちらの上司、先輩についたほうがいいかということです。

これは、常識的に考えれば、当然立派な先輩についたほうがいいということになるでしょう。それはなにも仕事に限りません。何ごとでも、いい指導者、先生につけば、その技が上達する、だから先生を選ぶことが肝心だと一般にいわれますし、私もそのとおりだろうと思います。非常にうまく指導してくれる師匠、世間で「非常にいい先生だ」といわれるような理解のある人について習っていくことは、きわめて好ましいことだと思うのです。

けれども、その反面、そういうところからは、いわゆる〝名人〟は出にくいとも考えられます。というのは、先生がよければ、どうしても先生のとおりにやるということになってしまいますから、ある程度のところまでは一様に上達するけれども、それ以上に画期的なものは生まれてきにくいという一面があると思うのです。

その点、むしろ非常に無理解というか、非常識ともいえるような先生のもとで修業した人の中からは、名人といわれる人が出る場合が多いようです。当然ほめられていいことに対してでも、めちゃくちゃに言われる。〝ばかばかしい。もうやめてしまおう〟と思う場合が何度もある。しかし、それでも耐えしのびつつ辛抱してやっていく。そして何ものかをみずから会得した人に、先生を超えるような名人が出てくるということでしょう。これは非常に面白い点だと思いますが、そういうこともまた人間の妙味といえるのではないでしょうか。

ですから、理解ある立派な先輩についた人は、それはそれで感激し、そのことを喜んでいいと思いますが、一見無理解と思われる先輩にぶつかった人も〝これは、自分が名人になれるチャンスだ〟というように、積極的に受けとめてはどうでしょうか。そこに自分を大きく伸ばしていく道があるのではないか、そんな気がするのです。

会社の歴史を知る

私たちが日本人として、この日本の国において生きていくについては、やはり、日本の歴史、伝統というものを知ることが大切だと思います。日本という国がどのようにして建国され、どういう過程を経て今日にいたっているかという歴史を知ってはじめて、そこに今日の日本人としてどう生きるべきか、また日本を将来どういう国にしていったらいいかといったことも、よりよく考えられると思うのです。

それは会社の場合でも同じことです。一つの会社に入って、大いに仕事をしていこうと思うならば、やはりまず、その会社の歴史を知らなければならないでしょう。今日、非常に大を成している会社であっても、決して最初からそういう姿だったわけではないと思います。かりに創業三十年を迎えようとしている会社であれば、三十年前にはそれは、影も形もなかったわけです。それを、ある個人なり、あるいは何人かの人々が志を立てて会社をつくり、その後長年にわたって、その時々の経営者なり社員の人々が営々と努力を重ねて、今日の姿を成したわけです。

そういう歴史というものを、規模の大小なり、期間の長短はあっても、どこの会社ももっています。その過去の歴史を認識することから、社員としての活動の第一歩が始まると考えてほしいと思います。過去を知らずして何ができるか、というと少し極端かもしれませんが、そういってもいいほど、会社の歴史、先輩の体験というものは貴重だと思うのです。

もちろん、実際の日々の仕事においては、次々と新しい、よりよいものを生み出していかなくてはならないわけですが、そういうことも、過去の歴史の基礎の上に立ったときにはじめて十分に可能となるのではないでしょうか。

また、新入社員の人たちは、一年たち二年たち、五年、十年とたてば、今度は若い人々を指導する立場に立って仕事をするようになります。そのとき、後輩を指導するについての信念は、どういうところから生まれてくるのでしょうか。これも一つにはやはり、その会社の過去の歴史をよく知るということを通じて培われるものではないかと思います。

そのような意味で、会社に入ったら、まず会社の歴史、先輩の尊い体験というものを、いろいろなかたちにおいて学び、吸収していくこと、それがきわめて大切だと思うのです。

礼儀作法は潤滑油

「最近の若い人は、礼儀を知らない」ということをときどき聞きますが、そういうことは、職場においてもよくいわれているようです。

これは、戦後、家庭や学校において、あまり礼儀作法やしつけということをいわなくなったところに、一つの大きな原因があるように思われます。もちろん、礼儀作法をキチンと身につけている若い人も少なくないでしょうが、このごろは、先生と生徒は友だちどうしのようであることがいいことだといった考え方も一部にはあるようで、そういうものを知らないまま社会人になる若い人が増えてきつつあるのも事実ではないかと思うのです。

けれども、社会生活においては、当然、キチンとした礼儀作法が要求されます。それは、それまでそういうことには比較的無頓着《むとんちゃく》であった若い新入社員の人々には、いささかならず堅苦しいことのように感じられるかもしれません。

しかしたとえそう感じる若い人でも、自分が傍若無人のふるまいをする礼儀知らずの人に出会ったら、どんな感じがするでしょうか。それを考えれば、その必要性についてはだれもが認めるところでしょう。

私は、礼儀作法というものは、決して堅苦しいものでも、単なる形式でもないと思います。それはいわば、社会生活における〝潤滑油〟のようなものといえるのではないでしょうか。

機械と機械がかみあってゴウゴウと回るとき、潤滑油がなければ摩擦が起こり、火花が散ったりして、機械は早くいたんでしまいます。それと同じように、人間と人間のあいだにも、潤滑油がいると思うのです。

性別や年齢、ものの考え方など、いろいろな面で異なる人々が相寄って仕事をしていくのが職場です。したがって、そこにはやはりお互いのあいだを滑らかに支障なく動かすための潤滑油がいるわけです。その役割を果たすのが礼儀作法だと思うのです。

ですから、礼儀作法というものは、当然心のこもったものでなければなりませんが、心に思っているだけでは、潤滑油とはなり得ません。やはり形に表わし、相手に伝わりやすくしてこそはじめて生きてくるものです。そういう心と形の両面があいまった適切な職場の礼儀作法というものを早く身につけることが、新入社員として仕事をしていく上できわめて大切だといえましょう。

健康管理も仕事のうち

会社生活をしていく上で、何といっても大切なのは、健康、それも心身ともの健康です。いかにすぐれた才能があっても、健康を損ねてしまっては十分な仕事もできず、その才能も生かされないまま終わってしまいます。実際私は、長年事業を経営してきた過程において、前途有為の若い人が、病気のために志半ばで倒れたり、仕事から離れざるを得ないという姿をたびたび見てきました。そういうことは、会社にとってももちろん損失ですが、何よりもその人自身の不幸です。

ですから、どこの会社でも、社員の健康の維持増進についてはいろいろ配慮していると思いますが、それと同時に、自分自身でもいろいろ工夫して健康を保ち、高めていくようにすることが大切だと思います。

健康であるために必要なことは、栄養であるとか、休養、さらには適度な運動とかいろいろありましょうが、特に大切なのは心の持ち方です。昔から「病は気から」といわれますが、そういう面が実際多分にあると思います。

心がおどっていると、人間は少々のことでは疲れたり、病気したりしないものです。趣味やスポーツなどでよく経験することですが、それに熱中し、楽しんでいるときは、他人から見ればずいぶん疲れるだろうと思われる場合でも、本人はむしろ爽快《そうかい》さを覚えていることがあります。心がおどっているから疲れない。あるいは疲れても、それを疲れと感じないわけです。

仕事の場合もそれと同じことで、仕事に命をかけるというほどに熱意をもって打ちこんでいる人は、少々忙しくても、ときに徹夜などをしても、そう疲れもせず、病気もしません。反対に、なんとなく面白くないというような気分で仕事をしていると、その心のすきに病気が入りこんでくる。そんなことをよく見聞きします。

もちろん人間の体力には、やはり限度があります。いくら心がおどって疲れを知らないという人でも、あまりに度を過ごせば、過労に陥ることにもなりかねませんから、そのへんの注意は当然必要でしょう。

いずれにしても、自分の健康管理も仕事のうちということを考え、心をおどらせて仕事に取り組むことを基本にしつつ、それぞれのやり方で健康を大切にしていってほしいと思います。

積極的に提言を

新入社員は最初のあいだ、先輩から教えられ、指導を受けつつ、だんだんと仕事を覚えていくわけです。ですから、その先輩のいろいろな教えを素直に聞き、また、分からないところはそのままにせずに質問するなどして、一日も早く仕事を覚え、上達する。そのようにして一人前の社員に成長していかなければなりません。

しかし、新入社員だからといって、ただ一方的に教わるだけでいいかというと、私はそれではいけないと思うのです。新入社員は新入社員なりに先輩に教える、というと語弊があるかもしれませんが、日々の仕事の中で自分が気づいたことを、いろいろ提言していくようにしなくてはいけないと思います。

〝自分は新入社員でいちばん後輩だし、仕事についての知識も経験も少ない。だから、提言するなどおこがましい。先輩に言われたとおりのことをやっていればいいのだ〟というのも一つの考え方です。しかし私は、こと仕事に関するかぎり、そういう遠慮は無用だと思います。会社をよりよくしていこうという思いに立つかぎり、本質的には、社長も一新入社員も平等だ、そう考えるべきだと思うのです。

先輩社員は、経験も長く、その仕事についても熟知しているでしょう。けれども、そのためにかえって先入観にとらわれて、現状を当然と考え、改善すべき点に気がつかないという面があります。その点、新入社員はすべてを新鮮な目で見られますから、〝ここはこうしたらいいのではないか〞と感じることも少なくないと思います。それをどんどん提言してほしいと思うのです。

もちろん、そのことがほんとうに提言に値することかどうか、その吟味は自分なりに十分しなくてはならないと思います。また、提言の仕方については、先輩に対する礼儀を十分尽くすといったことを忘れてはならないでしょう。しかし、自分がこれはやはり大切だと思うことは、すすんで提言する勇気をもちたいものです。

また、先輩なり上司の人は、新入社員がそうした提言をしやすい雰囲気をつくり、その中のいい意見は、どんどん取り入れていくことが大切だと思います。そのことは新入社員の成長をうながすとともに、会社自体の発展にも結びついていくと思うのです。

仕事の味を知る

昔からのことわざに「石の上にも三年」というのがあります。どんなに石が冷たくても、その上に三年も座り続けていれば暖まるものだ、ということで、根気とか辛抱の大切さを教えたものです。私はこれは、社員として仕事に取り組む場合にも、よくあてはまることではないかと思います。

最近の若い人たちの中には、仕事を始めてからひと月かふた月もすると、もうその仕事が気に入らないとか、自分には適性がないとかいうことで、別の仕事を求める人もあるようです。今日では、いろいろと新しい職種が増えていますから、そのように、より自分の適性に合った仕事を求めていくこともそれなりに結構で、いちがいに悪いことだとはいえないでしょう。しかし、どんな仕事であれ、それがほんとうに自分に適したものであるかどうかを見極めるのは、実際はそれほど容易なことではないと思います。

ですから、最初はつまらないと思えた仕事でも、何年間かこれに取り組んでいるうちに、だんだんと興味が湧《わ》いてくる。そしてそれまで自分でも気づかなかった自分の適性というものが開発されてくる。そういうことがよく起こり得ます。つまり、仕事というものは、やればやるほど味の出てくるものだということです。そして、そうした仕事の味が多少なりとも分かってくるようになるまでには、「石の上にも三年」のことわざどおり、やはり、普通は三年はかかるといえるのではないでしょうか。

昔、私の若かったころには、入ってすぐに辞めるというような人は、今日に比べて少なかったように思います。それは一つには、仕事の種類自体がそれほど多くなかったということにもよるでしょう。しかし、そうしたこと以上に、先輩やいろいろな人から、「石の上にも三年」のことわざをたびたび聞かされ、また自分でもそう言いきかせて我慢をし、辛抱をした。そのうちに、だんだんと仕事の味、仕事の喜びを見出すといったことであったのではないかと思います。

私は、昔も今も、仕事のかたちは変わっても、その本質には、何ら変わりはないと思います。その意味で、たとえどんな仕事でも、人間としてひとたびこれをやろうと決心したのであれば、あるいはまた、何かの縁があってそれに取り組んだのであれば、まず三年は、じっくりと腰を落ちつけてがんばってみることが大切でしょう。それは、何よりも自分自身のためになることで、もし万一、三年間一生懸命にやってみて、それでもどうしても自分には適していない、別の仕事につきたいということになっても、三年間腰をすえて取り組んだことは、少しもムダにはならないと思います。それどころか、その間に経験し、体験したことは、それから後、新しい仕事を進めていく上できっと大きなプラスになることでしょう。

会社に入ってしばらくのあいだは、この仕事ははたして自分に向いているのだろうか、といった気持ちになることが、ときにあるものです。そんなとき、「石の上にも三年」の言葉を思い出し、しっかりと腰をすえて仕事の味を味わうように努めてみてほしいと思うのです。

自分の働きと給料

あるとき、若い社員の人たちに、大要つぎのような話をしたことがあります。

「ぼくは、皆さんご承知のように、この会社の最高責任者として、いちばんたくさんの月給をもらっている。それがいくらかということはここでは言わないが、かりに百万円なら百万円とする。その場合、ぼくが百万円の仕事をしていたのでは、会社に何らプラスしない。ぼくの考えでは少なくとも一千万円の仕事をしなくては、この会社は立っていかないだろうと思う。あるいは一億円、二億円の仕事をしなくてはならないだろう。そういう働きができているかどうかということを自問自答しつつ、ぼくは自分なりに一生懸命努力しているわけだ。

皆さんについてもそれはいえることで、皆さんの月給がかりに十万円であれば、十万円の仕事しかしなかったら、会社には何も残らない。そうなれば会社は株主に配当もできないし、国に税金も納められない。だから、自分の今月の働きが、はたしてどのくらいであったかということを、常に自分に問うていく必要がある。

もちろんどの程度の働きが妥当であり、望ましいかということはいちがいにはいえないが、まあ常識的には、十万円の人であれば少なくとも三十万円の働きをしなくてはならないだろうし、願わくは百万円やってほしい。

そういうふうに自分の働きを評価し、自問自答して自分の働きを高め、さらに新しい境地をひらいていってもらいたい。そういう姿が全部の社員に及んでいけば、そこに非常に力強いものが生まれてくると思うのだ」

このことは私は、きわめて大事なことだと思います。お互いに毎日一生懸命に仕事をしている。しかし、ただなんとなく一生懸命やっていればそれでよい、というわけではありません。やはりその働きの結果が、何らかの成果として現われ、会社にプラスし、さらに進んでは、社会に貢献しているということであってはじめて、その働きが働きとしての価値をもつのだと思います。

もちろん世の中にはいろいろな仕事があり、実際は仕事によっては具体的な金額で評価しにくいという場合もあるでしょう。しかし、やはりそういうことを自問自答しつつ、またときには他人にも教えを請うて、そうした評価の目安を求め、自分の働きを高めていく努力を、日々心がけていきたいものだと思います。

〝会社は公器〟の自覚を

新入社員の人は、それぞれ自分自身の目的というか動機をもって会社に入ってきているわけです。自分の知識や技能、持ち味といったものを仕事を通じて生かしていきたいと考える人もあれば、海外で活躍したいと考えて、それがかなう会社を選ぶ人もあると思います。あるいは、部長なり重役、さらには社長をめざすという人もあるでしょうし、自分はもっぱら生計の資を得るために仕事をするのだという人もあるかもしれません。

そのように、人それぞれにいろいろな目的をもっていると思いますし、そのこと自体はそれでいいと思うのですが、どういう目的をもった人についても、これだけはしっかり認識しておいてほしいことがあります。

それは、自分の仕事のもっている意味、さらには、それを含めた自分の会社の存在意義というものについての認識です。つまり、仕事といい、会社といい、決して私《わたくし》のこと、私のものではなく、すべて公《おおやけ》のものだということです。仕事は公事であり、会社は社会の公器なのです。

会社の事業というものは、世間、大衆を離れては成り立ちません。直接、間接に、いろいろなかたちで社会とつながっています。ですから、会社の活動がいいか悪いかによって、世間の人々に対していい結果を与えるか、悪い結果を与えるかということになってくるわけです。もし、悪い結果を与えるようであるならば、その会社の存在は社会にとってマイナスであり、むしろないほうがいいということになってしまいます。世間の人々にいい結果、プラスの結果をもたらすことにおいてのみ、その事業の存在価値があるといえましょう。

そして、そのことは、その会社を形成している社員一人ひとりの仕事についても同様です。ですから「これはおれの仕事だから、おれの好きなようにやっていいんだ」ということは許されません。自分一個の都合で仕事を考え、行うということではいけないわけです。自分の一挙手一投足は全部、会社を通じて社会とつながりをもっている、ということの自覚と責任感において仕事をしていくことが求められるのです。

もちろん、そういうことに対する自覚は、地位が高い人ほど強くもたなくてはなりませんが、しかし、新入社員といえども、社会の公器である会社の一構成員である以上、その認識だけは、だれもがもっていなくてはならないと思うのです。

第二章 中堅社員の心得

社長、部長はお得意先

会社で働く社員の心がまえとして、私が機会あるごとに強調してきたことがあります。それは、会社で月給をもらって働いているといういわゆるサラリーマンとしての考え方をもう一歩飛躍させて、自分は社員としての仕事を独立して営んでいる事業主だと考えたらどうか、ということです。つまり、会社で働いている人は、それぞれがみな社員という稼業の経営者なのであって、たとえば経理の仕事をしている人であれば、〝社員は自分一人だけだけれども、自分は、この会社の中で会計、経理業という一つの事業を営んでいる経営者である〟という意識をもって、みずからの仕事に取り組んでみるわけです。

そうするとどういうことになるか。自分で事業を営んでいるということになれば、その事業をなんとか発展させようということで、いろいろ工夫を凝らすでしょう。もちろん、だからといって、その工夫がうまくいって仕事の成果があがっても、そう急に自分の儲《もう》けが増えるというか、給料が上がるわけではありません。しかし、その給料を単なる給料と見るのではなく、自分が事業を営んでいることに対する報酬だと考える。そう解釈することによって、自分というものが相当大きくクローズアップされて、日々の仕事に新たなやりがいなり喜びを感じつつ取り組めるのではないかと思うのです。

たとえば、自分が事業の主人公だと考えれば、周囲の同僚や上司は、みな自分の事業を成り立たせてくれるお客さん、お得意先だということになります。であれば、お得意先にはサービスしなければなりません。今日、商店にものを買いに行けば、「毎度ありがとうございます。これはいかがでしょう」と言って商品をすすめてくれます。ときには「まあ、ここへおかけください」と椅子《いす》をすすめてもくれるでしょう。それと同じことを同僚や上司に対して、どんどんしていったらいいわけです。

自分の創意工夫というものをいろいろ出して、同僚であれ課長であれ部長であれ、ときには社長であれ、使ってくれるようにすすめる。そういう場合、普通の商売であれば、「これは非常にいい品物でして、あなたのためになりますよ」と誠心誠意、説得します。それと同じように同僚に接し、部長に接すれば、「そんなにこれはいいか。じゃあ、いっぺん使ってみようか」ということになって、自分の創意が用いられることにもなるでしょう。

そうすると自分の稼業はだんだん発展していきますし、そこに仕事の喜びを味わうこともできます。しかも、そういう姿がその人一人でなく、社内全体に及ぶならば、そこから生まれてくる発展や喜びは、個人としても会社全体としても、きわめて大きなものがあるのではないかと思うのです。

夢に見るほどに愛する

それぞれの人が、会社の中での仕事につく場合、人によっては「自分はこういう仕事が好きだし、適性もあると思うから、ぜひこの仕事をやらせてほしい」と願って、それがかなえられるということもあるでしょう。しかし、おそらくそういうケースはあまり多くないのではないでしょうか。だいたいは会社のほうから、「君、この仕事をやってくれたまえ」ということで与えられるというのが現状だと思います。その場合、ときには適性というものが勘案されているかもしれませんし、あるいは別の配慮によってその仕事が与えられるということかもしれません。

そのいずれの場合であっても、そのようにして与えられた自分の仕事というものを、どのように受け取り、どのような考えをもってこれにあたっていくか、そこに私は、非常に大事なポイントがあるように思います。

ただ、与えられた仕事だから仕方がないということで、格別の興味もやりがいもないままに、なんとなくやっていくという人もあるでしょう。なかには、こんな仕事は自分に向かないから、かえてもらいたいという人もあるかもしれません。しかし私は、基本的には、そういうことはその人自身のためにならないと思います。

自分の仕事に興味がもてなければ、意欲も湧かず、精神的にも肉体的にもすぐ疲れてしまいます。それでは仕事の成果があがらないだけでなく、その人自身の実力も伸びません。それに何よりも、そういう状態で日々仕事をしていること自体、非常に不幸でやりきれないことです。

やはり、お互い会社で仕事をする者にとっていちばん幸せなことは、自分の仕事に興味をもって働けるということではないかと思います。余暇を楽しむとか、趣味をもつということも、それはそれで大切なことにはちがいありませんが、そういう楽しみも、結局は、日々の仕事が楽しくやりがいがあるということなしには、ほんとうは成り立たないのではないかという気がするのです。

そのためには、やはりそれぞれの人が、仕事に興味をもって取り組めるという姿をみずから求め、心がけていかなければなりません。たとえば、会社から与えられた仕事をかえてほしいと思っているのに、上司から、「これは君にとって将来必ず生きてくるのだから、少なくとも一年間はやってみたまえ」というように言いきかされることもあると思います。そのときには、会社も何らかの配慮をもって仕事を与えているのだからと、そのことをよく考えて素直に理解し、なるほどそういうものかと自分なりに納得して、一年間それにあたっていくことが大切だと思うのです。

そうしてその上で、いろいろ工夫して興味が湧くように考えていけば、それでもどうしても性《しょう》に合わないということもあるかもしれませんが、ほとんどの場合は、そうした工夫、努力の中から、仕事に対する興味というものは生まれてくるものだと思います。

おそらく多くの方が、日ごろからそういう心がまえで仕事をしておられることと思いますが、それでもときには、自分はどの程度力強くそういう努力をしているか、あらためて自問自答してみることが必要でしょう。そしてついには自分の仕事を夢に見るほどに愛する、というような心境にまでなりたいものだと思います。

知識にとらわれない

自動車王といわれたヘンリー・フォードの言葉に、「いい技術者ほど、できないという理論を知っている」というのがあります。

これはどういうことかといいますと、フォードは企業経営において、コンベア・システムをはじめつぎからつぎへと新しいアイデアを生み出した人ですが、それを彼の工場で生かすため、技術者のところへ相談に行くと、「それは社長、無理ですよ、できません。理論上から考えても無理です」と言うことが多い。特にすぐれた技術の持ち主ほど、そうした傾向が強く、困ったものだと述懐しているのです。

私は、このフォードの言葉について、これはこれで一つの真理をついていると思います。

というのは、わが国でもよく〝インテリの弱さ〟という言葉を聞きますし、私たちも実際に口にします。しかし、考えてみますと、インテリの弱さというのはおかしな言葉です。十分に学業を修め、知識をもっている人が弱いはずはありません。また実際、世の中には、ある一定以上の知識がなければできないことのほうが多いと思うのです。にもかかわらず、なぜインテリが弱いといわれるのでしょうか。

私は、それは結局、その人が、もっている知識にとらわれる場合にそうなるのだと思います。

何か一つの仕事に直面した場合、それに関する知識がさほどなければ、〝ともかくもまずやってみよう〟ということでこれに取り組み、自分なりに懸命に工夫、努力するでしょう。その結果は、多くの場合、相当むずかしい仕事でもやり遂げることができるものです。

ところが、知識があると、そのことによって〝これはむずかしい。ちょっとできそうもない〟と最初から考えてしまうことがよくあるのです。そうすると、できるものでもできなくなってしまいます。これはいわば、自分のもっている知識にとらわれた姿といえましょうが、そのような場合に、インテリの弱さということになるのではないかと思うのです。

この点は、お互いが社員として仕事をしていく上でも、大いに気をつけなければいけないことだと思います。最近の若い人は、高校なり大学へ行く人が多いですから、みなかなりの学問、知識を身につけています。そして今日では、社会の仕組みも会社の仕事も、いろいろと複雑になってきていますから、若い人たちが高い学問、知識を備えているということは、一面で必要かつ結構なことだと思います。しかし大事なことは、それにとらわれないことです。あまり頭の中だけで考えすぎずに、まず思いきって、実際に仕事にあたってみる。その上で、それをいかにうまくやっていくかということに、もてる知識を活用していく。そうすれば、学問、知識のあることが、大きな力となることでしょう。

特に学校を出たての若いころは、とかく知識にとらわれやすいものですが、その点に十分心して、〝インテリの弱さ〟でなく〝インテリの強さ〟を大いに発揮してほしいものだと思います。

信頼される第一歩は

たとえば私が、社員の人に、「君、すまんが、こういう人のところへ電話をかけてくれんか。きょうの午後お会いする約束をしていたのだが、急に都合が悪くなった。〝申しわけないがあすにしてほしい〟ということを電話でお伝えしておいてくれ」と頼んだとします。そういう場合、だれもが、「はい、承知しました」と言って、電話をしてくれます。ところが、そのあとで、「先ほどの電話、かけておきました。先方さんもそれで結構だということでした」と、キチンと報告してくれる人と、そうでない人がいるのです。皆さんの場合はどうでしょうか。

きわめて些細なことのように思われますが、この、あとの報告をするかしないかということには、たいへんな違いがあります。というのは、頼んだほうは、多分、先方のご了解はいただけるだろうとは思いつつも、やはり結果が気になります。しかし、つぎからつぎへと仕事があって忙しくしていると、気にはなっても確かめることもできないでいる。そんなとき、ちょっとした機会に「先ほどの電話の件、あれはオーケーでした」と知らせてもらうと、非常に安心するわけです。

お得意先から何かの用件を、社内の担当の人に伝えてほしいと頼まれたような場合も同様です。その用件を間違いなく担当者に伝えれば、一応役目は果たしたことになるわけですが、その場合でも「社内のだれそれに確かに伝えておきました」ということを、そのお得意先に連絡する。そうすると先方は、返事はもらわなくてもいいと思っていた場合でも非常に安心し、喜ばれます。

私は、そうしたちょっとしたことが、周囲の人に安心感を与え、そこからその人に対する信頼が少しずつ集まり、高まるのではないかと思います。「あの人は、仕事がよくできて、信頼のできる人だ」というような評価は、頭がいいとか腕がいいとかということにもよりましょうが、それ以上に、そのような身辺の小さいことから築かれる信用によって左右されるものだと思うのです。

むずかしいことはできても、平凡なことが行き届かないというのは、決して好ましいことではありません。むしろ大切なのは平凡なことのほうで、それを着実に積み重ねてしっかりした土台をつくり、その上にその人の経験なり知恵、才覚を生かしていくのが、望ましい仕事の進め方というものでしょう。

それは単に若い社員にとってばかりではありません。私の経験上、一つの部なら部の責任者の場合でも、「あの人は信頼できるな」という人は、必ずキチンとした報告をしてきます。いい結果の場合も、悪い結果の場合も報告してくれます。もちろん一つの部の運営を任されていて、しかもそれがうまくいっていれば、特に報告をしなくてもいいようなものですが、そこはやはり打てば響くというか、肝胆相照《かんたんあいて》らす仲というか、こちらの気持ちを察してよきにつけ悪しきにつけ報告してくれるのでしょう。そのへんが非常に大事なところだと思います。

そのような意味で、平凡なこと、些細なことをおろそかにしないというところに、信頼あつく、その会社になくてはならない人になるための第一歩があるという気がするのです。

日ごろの訓練がものをいう

心配りの行き届いた仕事をするのが大事なことは、お互いに十分分かっていても、それを実際にスムーズに行い得るという状態は、一朝一夕には生み出せないものだと思います。

私は以前、ある会社に用事があって電話をかけました。すると、電話に出てきた人が、「社長は今、遠方に出張中で、二、三日は帰りません」という返事です。それでは仕方がないなと思って電話を切りかけると、その人が「ちょっと待ってください。何か緊急のご用でしたら、連絡をいたしましょうか」と言います。「簡単に連絡できますか」「ええ、大丈夫です」「それなら、今晩にでも電話をいただけるよう伝言してください」。

その結果、ちゃんとその夜に長距離電話がかかってきて、思ったよりも早くその用件をすませることができました。もし私が電話をしたとき、先方の人が「連絡しましょうか」とひと言言ってくれなかったら、そううまく事の処理はできなかったと思います。

これは、一見、ごく些細な、何でもないようなことです。しかし私は、こういうことが、さっとできるということは、非常に大事な点だと思います。というのは、おそらくその会社では、社長さんが日ごろ、人との応対、電話の扱いについて、やかましく言っておられるのでしょう。だからこそ、留守をあずかる人も、それにふさわしい心配りというか、臨機応変の処置がとれたのではないかと思います。日進月歩の今日の世の中では、わずか一日の違いがあとで取り返しのつかないことになる場合もあります。したがって、このような心配りの行き届いた仕事ぶりというものは、些細なようでいて実に貴重です。

こうしたことは、たとえ頭の中では知っていても、実際に実行する段になると、なかなかむずかしいものです。いつ、いかなる場合でも、それが自然に行動として現われるためには、やはり日ごろの訓練やしつけが、大きくものをいいます。そういうしつけや訓練を、お互いに職場で、どの程度重ねているでしょうか。

自分を高める義務

私どもの会社では、昭和四十年に完全週五日制に踏みきったのですが、それから半年ほどたったころ、私は社員につぎのような話をしたことがあります。

「わが社が週五日制になってから半年の月日がたったけれども、皆さんは週二日の休みをどのような考えで過ごしておられるだろうか。一日教養、一日休養というように有効に活用できているかどうか。二日間の休みを無為に過ごすのでなく、心身ともにみずからの向上をはかる適当な方法を考え、実行していただきたいと思う。

ただ、そのみずからを高めるというか、教養を高めたり、仕事の能力を向上させたり、あるいは健康な体づくりをすることと関連して、私は一つ皆さんにお尋ねしたい。それはどういうことかというと、ほかでもない。皆さんが勉強なり運動をするときに〝自分がこのように自己の向上に努めるのは、ただ単に自分のためばかりではない。それは社会の一員としての自分の義務でもあるのだ〟という意識をもってやっておられるかどうか、ということである。そういうことを皆さんは今まで考えたことがあるかどうか、また現在考えているかどうかをお尋ねしたいと思う」

そのとき、なぜ私がそのようなことを質問したのかといいますと、そういう義務感というものは、社員一人ひとりが常にもっていなければならない非常に大切なことだと考えていたからです。

私たちが社員として、みずからすすんで常識を豊かにしていくとか、あるいは仕事の力をさらに高めていくということは、もちろん自分のためになることです。が、私はそれは同時に社会に対する一つの義務でもあると思うのです。というのは、たとえば私たちの社会で、すべての人が一段ずつ進歩したとするならば、社会全体もそれによって一段向上することになります。ところが他の人がみな三段進歩したのに自分は一段しか進歩していないということになれば、そのことによって、社会全体の平均の段数は三段上がらないことになります。つまり、自分一人のために全体の水準の向上が犠牲になるわけです。

ですから、自分の教養を高めるとか、自分の技術を向上させるとか、あるいは健康な体をつくるということは、自分を幸せにし、また自分の社会的地位を高めるということなどのためばかりでなく、社会の一員としての共通の責任であり義務であると考えなければなりません。そういう義務感というか、社会の一員としての連帯感というものを、私たちは一人ひとり、よく認識しておく必要があると思うのです。

そう考えると、逆に自分が勉強するもしないも、それは自分の勝手だ、といった態度は許されないということになってくるわけですが、その点、皆さんの意識はいかがでしょうか。

趣味と本業

仕事に追われる忙しい毎日の中では、趣味をもつということが、大いに役立つものです。

しかし、この趣味というものに関連して、「自分は、仕事は食べるためにやっているんで、ほんとうの生きがいは趣味のほうにあるんだ」という人もなかにはあると思います。そんな人の場合には、私はその人が自分の本業の仕事で成功することはむずかしいのではないかと思います。仕事というものは、やはりそれに興味をもち、楽しみを感じつつ打ちこめる、ということでなければ、それなりの成果をあげることはできません。

ですから、たとえば「自分は、会社の社員として仕事をしているけれども、どうも頭に俳句のことがこびりついて離れない。仕事をしていても折々に俳句のことが浮かんでくるし、それがまた非常に面白いし、やりがいを覚えるんだ」というような人があるならば、その人は思いきって俳句を自分の本業としていくようにすべきだと思います。

昔であれば、そういうことをすれば、たちまち食うに困ってしまうというような姿が多かったと思いますが、そういう中でも、食べるものが満足にないような状態をもいとわず、俳句一筋に生きたという例もあったわけです。しかし幸いにして今日では、それほどの困窮に陥るということはめったにありません。ですから、どうしても俳句のほうに生きがいを覚えるという人は、俳句を本業として生きる決心をし、少々は貧しくてもそこに人生の生きがいを感じるというようにしたほうがよいと思うのです。

もちろん人によっては、「自分は自分の本業、仕事に生命を打ちこんでいるが、その余暇に俳句を楽しんでいる。それは、自分自身を潤すことになるし、本業をやっていく上においても、人間形成の上にもプラスになるんだ」という場合もあると思います。そういう人が実際には大部分だと思いますが、それが趣味というものの本来の姿でしょう。

そうした点について、もし曖昧《あいまい》なまま生活を続けるというようなことがあるとするならば、それはやはり早くどちらかに決することが必要なのではないでしょうか。

実力を売りこむ技術

何の商品でもそうですが、それをお客さんに買っていただくということは、なかなかむずかしいものです。「この品物は非常にすぐれたものですから、ぜひ買ってください」と言うだけで買っていただける場合もないわけではありません。しかし、普通はそれだけでは、なかなかうまくいかないのが商売です。ですから、商売に熱心な人は、どういうふうにすればお客さんに商品を買っていただけるかを常に考え工夫し実行しているのです。

私は、サラリーマンの場合も、いうなればこの売りこみの技術というものを大いに考えなければならないと思います。つまり、自分が考えた一つの案が、仕事を進めるにあたって、会社として、あるいは職場において採用してもらえるか不採用になってしまうかということは、もちろんその案自体の内容にもよりますが、やはりある程度は、売りこみ方いかんによるのではないかと思うのです。いいかえれば、上司をして、あるいは社長をして「君の提案はすばらしい。今までのものは廃棄しても君の案を用いたほうがよいようだ」ということで、喜んで用いてもらえるような説明の仕方、理解を得られるような接し方、これがサラリーマンとして大切な一つの技術といえましょう。

もし、そのような技術にそれほど関心をもたず、みずから説得の工夫をすることもなしに、「うちの上司や幹部は話が分からない」と投げ出してしまったり、不平満々であるならば、自分にとってはもとより会社にとっても大きなマイナスです。

商品を売りこむについては、やはり商品のもつ力が第一にものをいいますが、いくらいい品物でも、売りこみ方が下手では、うまく売れていきません。日々のサラリーマンとしての仕事においても、まず基本的に大事なのはそれぞれの人がもつ実力で、だから、これを養い高めていくことに、絶えざる努力をしていかなければならないことはいうまでもありませんが、それとあわせて、自分の実力を誠心誠意訴え、理解を得ていくという技術を工夫することもきわめて大切だと思うのです。

叱られたら一人前

人はだれでも、厳しく叱《しか》られたり、注意を受けたりするということは、あまり気持ちのよいものではありません。当然叱られるだけの理由があった場合でも、上司に呼びつけられて叱られるというようなことがあれば、その日一日中、なんとなくわだかまってすっきりしない。それがいわば人情で、叱られるより叱られないほうを好むのは、人間だれしもの思いでしょう。

それは叱るほうにしても同じです。部下を叱ったあとの、あのなんともやりきれない気持ちは、管理職の人であれば、たいてい経験していると思います。

しかし、人情としてはそうだからといって、その叱られたくない、叱りたくないという人情がからみあって、当然叱り、叱られなければならないことでも、うやむやのうちに過ごされてしまったならば、どういうことになるでしょうか。一度でもそのような考えで物事が処理されると、あとのけじめがまったくつかなくなってきます。仕事や職場に対する厳しさというものが失われ、ものの見方、考え方が甘くなり、知らず識らずのうちに人間の弱い面だけが出てきて、人も育たず成果もあがらず、極端にいえば会社がつぶれるということにも結びつきかねません。

もとより今日よくいわれるように、個人の自主性を重んじ、自発的にのびのびと仕事に取り組むことは大切です。しかしそれは、厳しく叱られることが不必要だということではないと思います。むしろお互いの自主性なり個性というものは、厳しく叱られるということがあってこそ、よりたくましく発揮され、その人の能力もいちだんと伸びるのだと思います。

私も、まだ若くて第一線で仕事をしていたころは、よく社員を叱ったものです。それも血気盛んな時分ですから、一人だけ呼んでそっと注意をするといったなまやさしいものでなく、みんなの前で机を叩《たた》き、声を大にして叱るというようなことがたびたびでした。

ところが、私からそのように目の玉がとび出るほどに叱られた社員が、それで意気消沈していたかというと、そうではありません。むしろそのことを喜び、いわば誇りとするといった姿でした。

それはどういうことかといいますと、創業当初はともかく、会社がしだいに大きくなり、社員の数も増えてきますと、私のほうも社員一人ひとりにいちいち注意を与え、叱るということができなくなりました。そうなると、どうしても限られた、責任ある立場にいる人を叱るということになりますから、社員のあいだにはいつとはなしに「大将に叱られたら一人前や」というような雰囲気が生まれてきたのです。ですから、叱られると本人も喜び、またまわりの者も「よかったなあ、おまえもやっと一人前に叱られるようになった」ということで、ともに喜び、励ましあうといった姿が見られるようになったというわけです。そして、そういうことが、社員の成長なり会社の発展の一つの大きな原動力になっていたように思います。

人間というものは、黙ってほうっておかれたのでは、慣れによる多少の上達はあっても、まあこんなことでいいだろうと自分を甘やかしてしまいがちです。そこからは進歩、発展は生まれず、その人のためにも、ひいては会社や社会のためにもなりません。やはり叱られるべきときには厳しく叱られ、それを素直に受け入れて謙虚に反省するとともに、そこで大いに奮起し、みずから勉励していってこそ成長し、実力が養われるのです。

そのことを、若い人も責任者も肝に銘じて仕事にあたってほしいと思いますし、特に若い人たちは、そこからさらに進んで、叱ってもらうことをみずから求める心境、態度を培うことが大切ではないかと思うのです。

仕事に命をかける

今日、会社員とかサラリーマンといわれる人の中で、自分の仕事、職務というものに命をかけているという人は、どれくらいいるでしょうか。

「仕事に命をかけるなど、そんなもったいないことは……」という人がおそらく少なくないと思います。しかし私は、自分の仕事に命をかけるということほど、大きな喜びはないと思います。また、どんな仕事でも、それほどの思いで取り組むのでなければ、ほんとうの成功はむずかしいのではないかと思います。

ソ連のガガーリンという人が、人類で初めての宇宙飛行に成功したのは、もう二十年も前のこと（一九六一年）ですが、宇宙ロケットに乗りこむのは、まさに命がけです。もちろん計算上は無事に生還できるはずのものですが、やはりやってみなければ分からないという危険が残っています。にもかかわらず、「私がやってみましょう。命をかけましょう」ということで、ガガーリンはロケットに乗りこんだ。そのことによってソ連は、第一番に宇宙飛行に成功したわけです。もし彼が、「いや、それはまだ危険だからやめます」

ということであったら、あの成功はなかったでしょう。最近、アメリカが成功した、スペース・シャトルによる宇宙飛行についても、同じことだと思います。

もちろん、宇宙飛行などというのは、きわめて極端な例ですが、私たちが日々取り組んでいる仕事でも、多少ともそういう思い、信念をもって打ちこまずしては、成功はおぼつかないでしょう。ですから、社員たるもの、特に意気盛んな青年社員の人たちは、そのような仕事に命をかける心意気を大いに燃やしていくべきで、それは自分の仕事のしがい、喜びを高めるだけでなく、周囲の人々をも目覚めさせ、会社全体に繁栄を生み出す基礎ともなることだと思います。

ところが、そういう姿勢を一人がとると、とかく「あいつは生意気なやつだ」ということで、嫉視《しっし》されるといったことがあります。これは私は、わが国における封建制の一つの遺風ともいうべき、きわめて非民主的なことであって、意気盛んですぐれた力をもった人の出現を喜び、これを押し上げていこうという心持ちにこそ、ほんとうの民主主義があると思うのです。それぞれの人の長所を認め、その長所を伸ばしあい、生かしあっていくところにこそ、民主主義の一つのいい働きがあるのであって、だから、嫉視されることを恐れず、勇気をもって真剣に仕事に取り組んでいくべきだと思います。

そして、もうひと言加えれば、そのように仕事に自分の全生命を打ちこむというような真剣な態度で臨んだ結果、ほんとうに死ぬということはめったにない、かえって活力が湧き、仕事のしがい、生きている喜びをより豊かに味わうことができる、とそう思うのです。

スランプと入社時の感激

私は、少年のころ、大阪でいわゆる丁稚奉公をしていたのですが、十五、六の年に、少し考えるところがあり、電気の仕事がしてみたいということで電灯会社に勤めることを志願しました。その当時、大阪には、大阪電燈株式会社（現在の関西電力）というところがありましたので、ツテを頼んで入社を志願したのです。

ところがなかなか入ることができません。一カ月たち二カ月たち、三カ月たっても入れません。どうしてもダメなんだろうかと不安に思いながら、しかし、なんとか入りたいという初志を変えず、セメント会社で臨時の手伝い、今でいうアルバイトをしながら日を過ごしておったのです。そうするとようやく四カ月目に、欠員ができたから試験をした上で入れてやろうという連絡がありました。そこで非常にうれしく思いながら試験を受けたところ、幸いにパスすることができたのです。

そのときの私の感激というか、うれしさというものは、今でも忘れることができません。文字どおり待ちに待った電灯会社に、ようやく入社を許されたということで、非常な感激を味わいました。

そして、おそらくその感激が反映したのでしょう。入社後の私の勤務態度というものには、自分でいうのも何ですが、非常に力強いものがあったような気がします。〝せっかく三カ月半もじっと待って、やっと許されて入ったのだから、これはしっかりやらなければならない〟という気持ちで、懸命に仕事に取り組んだものです。そのためもあってか、その後、会社の皆からかわいがられて、当時、見習職工から工事担当者になるのに、普通は二、三年かかったにもかかわらず、私は四カ月目で担当者に昇進しました。そんな経験が私にはあるのです。

なぜこのような話をもち出したのかといいますと、私は、たいていの人が、その程度に多少の差はあっても、会社へ入るときに同じような感激を味わい、喜びを感じていると思います。その感激や喜びをときに思い起こすことが、会社生活を続けていくについて大いに役立つのではないかと思うのです。

会社に入って二、三年もすると、だれでも仕事について、あるいは会社について、いろいろと悩むことが出てくるでしょう。ときには〝自分はこのまま、この会社で仕事を続けていていいんだろうか〟といった気持ちになることもあると思います。いわば慣れからくるスランプとでもいった一つの壁に突きあたるわけです。

そんなとき、そのスランプを乗り越えていくためには、いろいろな方法がありましょう。その中でも、〝初心を忘れず〟ということがよくいわれるように、入社当時の感激や喜び、決意などを思い起こし、自分なりに会社生活に取り組む思いを新たにすることが、その一つの大きな力になるのではないかと思うのです。

鍛練、修業の場

社長時代に私は、社員、特に中堅社員の人たちに、つぎのような問いかけをしばしばしたものです。

「アメリカの大きな会社で新しく会社や工場をつくる場合など、その最高責任者に三十代の人が就任することが少なくないそうです。皆さんもだいたい同じ年齢ですが、もし今、技術部長なり工場長なり、あるいは相当な会社の社長になるように、という社命を受けたとしたら、どう返事しますか。『私は十分、その信頼にこたえ、工場長として立派な製品をつくり、従業員もしっかり教育してみせます』とか、『社長の役を安心して任せていただいて結構です』といった返事がすぐできるかどうか。つまり、会社へ入って十年以上もの経験を積んでいるからには、もし責任者の地位を任されたとしても、日本はもちろん外国のどの会社にも負けないような、立派な仕事をしてみせるといった強い信念を、自分の内に常に養っているかどうかということです。その点、皆さんどうですか。その確信がある人は、手をあげてみてください」

そうすると、手があがることはめったにありません。そこで続けて、「皆さんは、謙譲の美徳を発揮して手をあげないのだと思いますが、私は皆さんに、そう問われたら、少なくとも心の中では、すぐ手があげられるようになってほしいのです。これまで、皆さんの先輩の中には、新しく責任者の立場につき、そこで社内はもとより業界や世間からも称賛されるような成果をあげた人がたくさんいます。そういう人たちのおかげで会社の今日の発展もあるわけですが、その人たちはみな若いときから、日々過ごしている会社を自分の実力を養う訓練、修業の場としてとらえ、真剣に仕事のコツの体得に努めてきています。だからこそ、新しい職務についたときに十分な成果をあげ得たわけで、皆さんも、そういう日々の努力を怠らないようにしてほしいと思うのです」

私は、こうしたことは、いつの時代においても大切なことだと思います。芸能人でもいわゆる名人といわれる人は、すぐれた素質に加え、寸秒を争うほどの真剣さでおのれの芸に打ちこんでいます。新聞などの劇評で、たった一行でも悪い点を指摘されると、一晩寝ないでそれを考えるとも聞きますが、そういうところから名人芸といったものが生み出されてくるのでしょう。会社の仕事についても同様で、そういう真剣な日々の鍛練、努力がどれだけできているか。そのことを抜きにしては、責任者としての実力なり自信は決して培われないといって過言ではないと思います。

いってみればごく当たり前のことですが、毎日、その努力を続けることはなかなかむずかしいもの。ときにお互いのあり方をふり返り、思いを新たにしていただきたいものです。

すぐれた人を生かす協力を

今ここに、百人なら百人の人からなる職場があるという場合、そのうちの一人なり二人が非常に当を得た考えをもっている、また働きも非常に当を得ていて、大きな成果をあげている、というようなことが、どこの会社にもあると思います。そういうとき、その一人なり二人のすぐれた人が、職場の中で重要な地位に立つようになれば、そのことによって、その職場は全体として非常に高まっていくものだと思います。

以前、私の知っているある中堅企業でも、こんなことがありました。その会社は、だいたい可もなし不可もなし、という経営状態だったのですが、新たな拡大をはかりたいということで、十人の人を思いきって採用したところ、そのうちに二人ばかり、非常にすぐれた人がいたのです。そこで、その会社の社長はその二人を抜擢《ばってき》しました。もちろん、中規模の企業ですから、長く勤めて経験豊かな人もたくさんいたわけですが、いわゆる新知識をもった人は少なかった。そこへ新知識をもったすぐれた二人が加わったものですから、入社して日が浅いにもかかわらず、社長はその二人を非常に優遇したのです。

そういう場合、普通はとかく、ちょっとやっかいな問題が起こりがちです。どういうことかといいますと、「なんだ、あの男だけえらいうまいことしていて、面白くないな」と、まわりの人が言うわけです。ところがその会社では、社長のもっていき方が当を得ていたというか、日ごろの社員間の意思疎通がうまくいっていたというか、そういう問題も起こらずに、新しい二人が重用されました。そうしますと、三年ほどのあいだにその会社はすっかり様相が変わって、大きく発展したのです。

私はこの会社のほかにも、それに似た例に少なからず出合っていますが、そういうようなことから、一人なり二人なりすぐれた人の力というものがいかに尊いものであるか、また同時にそういう人が出ることによって、企業全体の人がいかに恵まれるものであるかということを、しみじみと感じたことがあるのです。

こうしたことは、今日の産業界でも、ある程度常識として考えられています。しかし、それを非常に好ましいこととして、積極的にそういう姿を生み出していこうと考えられているかというと、そこまではいたっていないのが実情だと思います。お互い日本人の一つの習性としては、そのような姿を実現するための抜擢に対しては、あまり共感を覚えない。むしろ嫉妬《しっと》心を覚える。〝なんとなく、もうひとつ面白くない、愉快になれない〟というような気分になることが多いようです。そして、そういうことが職場なり会社の発展を妨げ、あるいは職場の人をほんとうに生かせなくしているといった面があるのではないでしょうか。

これは単に、社員の心得として大事であるという程度のものではなく、お互い日本国民全体の心得として大切なことではないかと思います。

お互いに職場の中のすぐれた一人になるよう努めることが大切なのはいうまでもありません。しかし、それとあわせて、周囲のすぐれた一人が上に登ろうとするのを引きずりおろそうとするのでなく、〝能ある人にはそれにふさわしい仕事をさせよう。さあ、上に上がれ〟とあと押ししてやる。そうすると、上がった人が〝よし、おまえも上がれ〟と引き上げてくれる。そのようにしてみんなが成長し、伸びていくんだというような協力の精神が、会社においてはもちろん、国民全体に、もっと必要ではないかと思うのです。

上役への思いやり

以前にある青年社員と、こんな会話を交わしました。

「君は、アンマができるか」

「いや、できません」

「お父さんやお母さんの肩をもんであげることはないのか」

「はあ、あまりしたことがありません」

「それでは君は、あまり出世できんぞ」

その青年は、アンマと出世とどんな関係があるのかと、けげんな表情です。そこで私は笑いながら、つぎのような話をしたのです。

「たとえば、君が、課長と一緒に夜遅くまで残業をしたとする。そうすると、君は若いから元気でも、相当年輩の課長には、疲れが感じられることもあるだろう。そんなときに『課長、ひとつ肩でももみましょうか』ということが言えるかどうか。

会社は仕事の場なのだから、そんなことを言う必要もないといえば確かにそのとおりである。しかし、もし君がそういうことをひと言、ふっと言ってあげたら、それは、どれだけ課長の慰めとなることか。『じゃあ、もんでくれ』と言う場合はめったにない。たいていは、『いや、結構だ。ありがとう』と言うにちがいない。しかしそのひと言で、課長の心には、アンマをしてもらった以上の喜びが生まれる。そして課長の口からは、『遅くまで引き止めてすまんな。デートがあったんとちがうか』といったなごやかな言葉が出るだろう。

ぼくはそういう心のかよいあいの中に、仕事がはかどり、ものを生み出す原動力があると思う。だから、君にも、そういう思いやりが、上司に対してはもちろん、周囲の人たちに対して自然にできる人になってもらいたいし、そうなってこそ、君の仕事の成果も大いにあがるのではないか」

実際、このようなことは、おべっかでもゴマスリでもありません。目上の人を尊敬し、疲れた人をいたわるのは人情の自然で、この思いやりの交流は、人間として当然のことだと思うのです。

もちろん、なにか策略的な魂胆からものを言うとか、出世に役立てようとして行うとかいうことであれば、それはすべて相手に伝わって、かえって逆効果になるでしょう。世間というものはそれほど甘いものではありません。しかし、誠意や真心から出た言葉や行動は、それ自体が尊く、相手の心を打つものです。誠意や真心などというと、古くさいことのように感じられるかもしれませんが、私はそのような真心にもとづく思いやりの実践をごく自然にできることが、現代の社員にも求められる大切な要件の一つではないかと思います。

第三章 ● 幹部社員の心得

〝部下が悪い〟のか

ある一つの部の業績がどうももうひとつあがらないという場合、その担当の部長から言いわけを聞くことがあります。どんな言いわけかというと、

「一生懸命やっているのですが、課長の人たちの中に、どうも適当でない、使いにくい人がいて、成績があがらないのです。申しわけありません」

確かに現実の姿としては、そのとおりのことがあると思います。しかし、だからといって、部長にそのような言いわけが許されるものでしょうか。

一つの部には、その部として果たすべき大切な使命があります。そして、その使命遂行の最高責任者はだれかといえば、やはりほかならぬ部長自身です。とすれば、もし部下の中に使命遂行に不適当な人がいて、そのために成績があがらないということであるならば、そのことについても、部長が何らかの対策を講じなければなりません。つまり、その部下を他の人にかえてでも使命の達成をはからなければならないというのが、部長の責任というものでしょう。

そのためにはどうするかといえば、やはり社長なり会社の首脳者に、その実情を訴えなければなりません。「あの部下は他の部署に行けば、さらに適職を得て十二分にその能力を発揮できるようになるかもしれませんが、自分の部にいるかぎりは、適性を欠いていると思います。ですから、部のためにも会社のためにも、また本人のためにも、他の部署にかえていただきたいのです」という提言をしなければならないと思うのです。

ところが、そのような場合、往々にして〝そんなことを言うのは、自分が部下を使いこなせないのを示すようで、部長としての体面にかかわる〟とかいった人情が働き、そこまで踏みきれないということがあります。しかし、そうした人情にとらわれて、言うべきことを言わないということでは、部長としての使命感がうすい。いいかえれば、世間からあずかっている大きな仕事の使命というものをなおざりにしている、ということになってしまいます。

これは、部長自身のことについてもあてはまることだと思います。自分が部長として適任でないと思えば、それを社長なり首脳者に訴えなければなりません。「自分は部長として一年間やってきました。けれども、十分な成果をあげ得ませんでした。それはやはり自分に部長としての適格性が欠けているからだと思います。だから自分は部長を辞めて他の仕事につかせていただきたい」ということを、自分自身のことであっても訴えるべきだと思うのです。

もちろん、部下のことにしろ自分自身のことにしろ、適格であるか否かの判断は、私情にとらわれることのない適正なものでなければなりませんが、そうであるかぎりは、不適格な人をかえるのに躊躇してはいけないと思います。そして実際、他の部署にかわることによって、そこで立派に花を咲かす人もたくさんあるわけです。

これは結局、部の運営がうまくいくもいかぬも、部長一人のあり方いかんにかかっている、つまりは部長一人の責任であるということですが、会社が着実に発展していくためには、そういうことが日々適切に行われなければなりません。それだけの責任を常に負うているのだという自覚こそ、幹部社員として欠かせない一つの大切な要件ではないかと思います。

〝私の責任です〟

幹部社員としての責任ということについてもう一つふれておきたいと思います。

会社では、物事を決めるのに、たとえば会議などを開いて慎重に検討し、皆の意見をとりまとめて決定するといったかたちがよくとられます。それがいわゆる民主主義的なやり方というわけですが、私は、そのようにたとえみんなで一緒に決めたというかたちになるにしても、その決定を実際に採用するか否かは、その部門の責任者、いわゆる〝長〟の判断によるものだと思います。

つまり長たるものは、その判断をするにあたって、最終的には自分一人の責任においてこれをしなければなりません。いくら大勢で決めたことだからといって、一度それを採用したからには、すべての責任をみずからが負うのがほんとうです。「それは私の責任です」ということが言いきれてこそ、責任者たり得るわけです。

ところが実際においては、そういうことをわきまえている人は、それほど多くないように思われます。したがって往々にして、「みんなの意見で決まったことですので……」といって、責任者が負うべき責任をも回避するというようなことが起こってきます。

しかし、たとえ多数決で決まったことであっても、その責任者が「これは絶対によくない。自分の責任においてできることではない」と判断した場合は、そのことをはっきりと明言してやめさせるか、それができなければみずから責任者としての地位を潔く退くということも考えられると思います。とにかく責任者としての出処進退を明らかにするということです。それをせずして、「自分としては賛成しかねるのだけれど、全体で決まったことなので……」などというのは、責任者としてとるべき責任の自覚が欠けているということになるのではないでしょうか。

そうした態度が必要なのは、自分の部内の問題に限りません。会社全体の問題についても、必要があれば社長や重役に対して、みずからの責任において言うべきことを言わなければならない。そういう責任ある姿勢、態度をとってこそ部下や上司の信頼も集まり、力強い仕事を進めていくことができるのではないでしょうか。

プロの実力を養う

会社へ入って十年なり二十年なりたてば、それぞれに重要な仕事を受けもつようになります。しかし、その自分の仕事について「私はプロとして一人前だ。これで飯を食っているんだ。だから、自分はこの仕事に自信をもっている」と言いきれる人が、どれほどいるでしょうか。

日ごろ、自分の仕事にある程度の自信はもっていても、さてあらためて、「仕事のプロとしての自信は」と問われると、「自分はもうベテランだ。囲碁なり将棋なりでいえば、玄人《くろうと》の三段くらいの実力をもっている」といった確信にみちた答えは、なかなかしにくいのではないかと思うのです。

しかし、幹部社員ともなれば、やはりそういう答えができるだけの自信と実力を常に養っていなければなりません。

これは、ごく卑近な例ですが、筆で文字を書くという場合、習い始めたばかりの初心者は、長い時間かけていろいろ苦心しても、なかなかいい字が書けません。しかし、書道の達人ともなれば、白紙の上に瞬時にして、人が称賛するような字が書けます。そこには、きわめて大きな力の相違があるわけです。

私たちが仕事の上で、いろいろとものを考案し、生産し、販売するにあたっても、同じことがいえると思います。瞬間に立派なものを考案し、瞬間に製造ができるということは、その道の達人になってはじめてできることです。できることはできるけれども、そのために十日も二十日もかかるというようなことは、ものによってはそういう場合もあるでしょうが、決してほめられることではない。それは、結局、未熟であることを示すものだと思います。

さきの大戦中に、つぎのような話を聞いたことがあります。それは、わが国では、飛行機に一つの欠陥を見出した場合、改善するために設計にかかって、それを製造に流すまでに数カ月、場合によっては一年もかかっていた。それがわが国の軍部の技術であった。ところがアメリカは、一回の戦闘で不備な点が分かると、わずかな技師で一週間のうちに全部その欠点を直してしまう。だから、つぎの戦闘には改造された飛行機が飛んでくる、というほど早くものができたというのです。真偽のほどは分かりませんが、技術なり機械設備なりがすぐれていて、しかも設計にあたる人が達人というか熟達した人であるならば、そのようなことは十分にあり得ることだと思います。

そして、そうした非常にスピーディーな商品開発なり仕事の進め方が、現実になされているのが今日の産業界です。そういう中で幹部社員としての職責を果たしていくためには、やはり「自分は仕事のプロである」と言いきれるだけの自信と実力をもたなければならない。しかもそれは、世の中がどんどん進みつつありますから、その速い世の中の動きについていけるだけの実力でなければなりません。きょうの仕事のプロとしての実力が、あすは素人《しろうと》の域に転落するといったことさえ現実に起こる可能性が十分あるわけです。

そのようなことからしますと、幹部社員たるもの、絶えず自分の実力について自問自答しつつ、真剣にその涵養《かんよう》をはかっていかなければならない。そしてそういう努力を続けるかぎり、人間の考え、人間の実力の伸びというものは際限のないものだと私は思います。

人を育てる要諦

〝企業は人なり〟ということがよくいわれますが、会社の経営において、よき人材を育てる必要があることは、あらためていうまでもありません。一つの部や課においても、人材が次々に育ってこそ、その成果もあがり、発展が生み出されるわけで、人材育成は、責任者が一刻もゆるがせにできない大切な任務の一つです。

それではどうすれば、よき人材を育てることができるのか。大切なことはいろいろあるでしょうが、私はその一つというかその基本として、まずその部なり課の方針というものをはっきり示す、ということをあげたいと思います。「われわれの部は、社内にあってこれこれこういう分野の仕事を担当している。このわれわれの任務を、より正しくより効率よく果たしていくために、今後はこういう方針で、こういうことに取り組んでいきたい」ということを、部長が部員全員にはっきり示し、訴えるのです。そして、「諸君は、こうした当部の方針、目標を理解して、みずから大いに勉強に努めてほしい。むずかしいことがあれば相談にのるから」ということを、機会あるごとに要望していく。そういうことがまず基本だと思うのです。

会社全体についても、社長が「会社はこういう方針でやるんだ。だから皆さんは、この方針に沿って腕を磨いてほしい。みずからを養ってほしい」と要望すれば、社員は必ずそれぞれに努力するものです。会社に何も方針がない、あるいはあってもそれが強く訴えられないということだと、社員は何をどうしていったらいいか分かりません。ただなんとはなしに日を送るということになって、なかなか力を高めるところまではいきません。

これは、国の場合も同じです。国としての目標がはっきりしていれば、その目標に向かって教育が始まり、国民もまたその目標に向かって努力します。そうすればその国は発展する。また、個人の場合でも、やはり自分自身で目標、方針をキッチリ定めてこそ、その達成をめざす努力に力がこもり、力を伸ばしていくことができるのだと思います。

一つの部や課の場合、その方針、目標は、会社全体のそれに沿ったものでなければならないことはいうまでもありませんが、そういう方針を責任者として明確に示しているかどうか。「うちの部員はどうも勉強が足りない」と嘆く前に、まずみずからの姿勢をふり返ってみる必要がありはしないでしょうか。

部下のじゃまをしない

人間というものは、もともと働きたい、人のために役立ちたいという気持ちをもっているものです。「君は、仕事をせんで遊んでおったらいい」と言われたら、一時的には喜ぶ人もあるでしょうが、時間がたてば、たいていは困ってきます。そういう人間本来の性質を思うとき、私は部下に大いに働いてもらうコツの一つは、部下が働こうとするのを、じゃましないようにするということだと思います。もともと働こうと思っているのに、それに水をさすようなことを言われれば、部下としては面白くありません。〝きょう一日、休んでやろうか〟といったことになってしまいます。

私は、社員の人たちが一生懸命働いているのを、できるかぎりじゃましないよう心がけてきました。しかし、それでは注意も何もしないのかというと、そうではありません。責任者として言わなければならないことは、ちゃんと言うように努めてきましたが、その際に、働くのをじゃまするような言い方をしないよう気をつけたわけです。

よく、「あの人のもとだと、なんとなしに働きやすい」とか、「あの人は自分をよく理解してくれる」といったことが言われますが、それは結局、じゃまをしないからだと思います。ところが実際には、部下に一生懸命働いてもらおうと願いながら、そのなすところが、かえってじゃまをしている場合が少なくないのです。

このじゃまをしないということは、いいかえれば、その人を信頼して任せることを基本とすることだと思います。もちろんお互いに神様ではありませんから、部下を一〇〇パーセント信じて任せるということは、なかなかできることではありません。六〇パーセントは大丈夫だと思うけれど、あとの四〇パーセントはどうか分からんという危惧《きぐ》の念が生ずることもあるでしょう。しかし、そういう場合でも、六〇パーセント以上の可能性があれば、「君、やってくれよ。君ならできる。頼むわ」ということで任せる。そういう態度を基本にして、その過程で気づいた大事なことは、その人の自主性を尊重しつつ遠慮なく注意する。そうすると、失敗するよりも期待にこたえて成功してくれるほうがはるかに多い。そういうことが私の体験上からもいえるように思うのです。

日ごろ、部下に働いてもらうことに熱心である人ほど、ときに自分が部下の働きをじゃましていないかどうか、省みてみたいものだと思います。

対立をどう防ぐ

ある一つの部門で、社員どうしあるいは課長どうしのあいだに対立が生じて、人間関係がスムーズにいかなくなるということがあります。それは好ましくない姿であることはいうまでもありませんが、お互いが人間である以上、そのような姿が起こってくるのは一面やむを得ないでしょう。

したがって、ある程度は、そのような対立も是認しなければならないということになりますが、幹部社員としては、そのような対立ができるかぎり少なくなるような配慮を、人事面でしていくことが大切だと思います。

たとえば、一つの部門を三人の課長で運営するという場合、三人がまったく同じような性格で同じような実力の持ち主であれば、どうしても意見の対立が多くなります。ですから、一人は決断力に富む人、一人は協調性がある人というように、それぞれ持ち味の異なる三人を組み合わせて一つのチームを編成するようにする。そうすれば、そこに対立が少なく効率のいい運営ができるという姿が生まれてくるでしょう。そのような人事配置面での周到な配慮が、幹部社員には絶えず求められていると思うのです。

もっとも、自分の部下については、そのような配慮をすることで、ある程度スムーズな運営ができるとしても、むずかしいのは、自分自身を含めた幹部社員どうしの意見の対立にどう対処していくかということです。幹部社員どうしの意見の対立は好ましくないから、これを防ごうと思っても、自分もその一人だとなかなかうまくいきにくいという一面があります。しかし、その場合でも、やはり、それぞれの担う役割を異なるようにもっていくことが、一つの大きなポイントだと思います。

たとえば、幹部社員が三人でチームを組むという場合、三人がまったくの同格であると、やはりなかなかうまくいきません。だれか他の一人を最高責任者にして、その人の意見を絶えず尋ねながら事を決していくという行き方をとるか、自分が首脳者になって、他の二人の意見をよく聞きながら、その取捨選択を自分がしっかりするか、どちらかの行き方をとるようにすべきだと思います。

そのようなことに関連して、私は以前、ある人に一つの忠告をしたことがあります。その人は社長として活躍している人でしたが、私はその人に、「君のいちばんいかんのは、君の会社の幹部に、君の友人をおいていることだと思う」ということを言ったのです。

それはどういうことかといいますと、その社長は自分の友人をその会社の常務に迎えていたのですが、その点を私は心配したのです。つまりそうした場合には、まず「君がこれから私の会社に入ってもらうについては、これまでのように友人ではなく、私の部下になるんだという意識に立ってもらえるか。そういう意識をもってもらえるならば、喜んで君を迎えよう。しかし、友人としてぼくを手伝うという気持ちであるならば、この会社には入らず、外部にあって協力してほしいが、どうか」といった念を押しておく必要があると思うのです。

社長がそのような見識に立たず、曖昧なままで友人を常務にするというようなことをしますと、その友人は、常務として社長に対するというより、やはり友人として社長に接します。そうなると、たとえば意見が異なる場合には、大いに言うことが友人として正しい態度だというように考えますから、社長がこうしようと決断しようとしても、常務がなかなか納得せず、必要以上に意見の対立が生ずるといったことになりがちだと思います。

そういう弊害が感じられましたので、私はその社長に忠告をしたわけですが、自分自身も含めて人の組み合わせに十分な配慮をするということが、幹部社員にとってはきわめて大切ではないかと思うのです。

失敗したときに出る真価

人間は、ときに思いもよらない過ちをし、失敗をするものです。会社で仕事をしていても、思わぬときに「しまった！」ということで頭をかかえこむことが生じてきます。もちろん過ちや失敗は、初めからないにこしたことはありませんし、だれも失敗をしようと思ってやる人はありません。しかし、そこは完全無欠は望むべくもない人間のことですから、そういうことがときに起こるのも、一面やむを得ないといえましょう。

ただ、大切なのは、過ちをおかしたときに、これにどのように対処するかということだと思います。この処し方いかんによって、人間としてのほんとうの値うちが決まるといっても決して過言ではないと思うのです。

それでは、どうするのがいいのか。いちばんいいのは、やはり素直に自分の非を認め、すぐにこれを改めるということです。きわめて平凡なことながら、これよりほかに最善の道はないと思います。

よく失敗をした人の中には、「今さら後戻りもできない。それに自分のメンツもある」

ということで、そのまま無理やり突き進み、失敗の上にさらに失敗を重ねるという人がいます。これは私は、最も危険なことだと思います。過ちをおかすことよりも、むしろこのことのほうがよほど恐ろしいといえましょう。

お互いに神様ではないのですから、長い一生のうちには、いろいろと過ちをおかすことがあると思います。そのときには、素直に改めるべきを改める。それは、上に立つ人ほどよけいそう心がけなければなりません。とかく上に立つ人は、その立場上、過ちと分かっていながらも、なんとか自分の失敗を隠そうという気になりがちです。その結果、かえって失敗の上塗りとなって、自分も困り、会社や周囲の人にもたいへんな損害を与えることがあります。

この点をお互いに十分戒めあいたいものですが、それと同時に、過ちをおかした人に対しては、これをあたたかく許すという寛容の気持ちをもつようにも心がけたいものだと思います。

禍を福に転ずる

会社の社員として仕事を進めていく過程においては、たとえ会社全体としては順調な発展を見ているという中にあっても、個々の仕事の上には、いろいろな問題、困難が起こってくるものです。これは、会社での生活に限らず、家庭においても、あるいは個人の人生でも同様で、それぞれの生活の場において、五年なり十年なりを何らのトラブル、困難もなく楽しみつつ送れるというようなことは、きわめてまれであると考えられます。

そういうことが人の世の常であるとすれば、大事なのは、お互いにいつの場合でも、それに向かってある種の覚悟というか、信念をもって対することではないかと思います。つまり、私たちの仕事には、常にある種の難問題がふりかかってくる。その難問題を受けて立つ信念、覚悟があるかないかということがきわめて大事で、そういう信念に立たないという場合には、難問題がふりかかるたびに動揺したり、挫折してしまいます。それは失敗の状態といえましょう。

私自身にも、過去いろいろな出来事がありましたが、幸いにして一つのことが起こるたびにいい結果を招いた場合が多いのです。ある品物をつくって売ろうとしたが売れなかった。そのことは完全に失敗です。しかし、売れなかったことから一つの発見をすることができて、それが後日、大いに役に立った、といったことが絶えず起こってきたのです。

たとえば、ある一つのことについて、お得意先からたいへんなお叱りをこうむるという場合があります。社員が帰ってきて、「こうこうで、もう松下電器とは取引しない、と言って先方が怒っておられます」といった報告をするのを何べんも聞いたことがあります。

しかし、そういうとき私は、〝これはまことにいい機会を与えられたんだ。そういうようにお叱りをこうむるというのは、大きな縁が結ばれる前兆だ〟と考えました。

そして社員に、「君が行って、松下電器が考えていることをもう一ぺん話してみてごらん。〝帰って社長にそう報告したら、社長はこういうように言った〟ということを、君、もう一ぺん話してきたまえ。ぼくの考え、ぼくのなさんとすること、それは相手の方にとって決して悪いものではないと思う。なるほど一部にはいたらない過ちがあってお叱りをこうむるのはやむを得ないとしても、その根底においてわれわれは、先方の利益なり立場なりを十分に考えているつもりだ。それを一ぺんの過ちで全体の方針まで否定されるというのでは、いかにも残念だ。だから、全部の状態を話して、なおそれでもいかんというのであれば、潔く引き下がろう。君、決して遠慮はいらないから、もう一ぺん行って、こういうふうに言ってみてくれ」、そんな話をしたことがよくありました。

そして、その人が行くと、「君のところのオヤジはそう言っているのか。よく分かった。それならば考え直して、また大いに取引をしよう」ということで、そういう一つの過ちをしたことが機縁となって、かえって大きな縁が結ばれ、以来私どものファンになってくださる、というような傾向が、さまざまな面にあったように思うのです。

もし私が、自分のことのみを考えているということであれば、そういうことを先方に申し出る信念も湧かず、叱られて頭をかくという程度に終わっていたでしょう。しかし私は、仕事というもの、経営というものは決して私《わたくし》のものではなく、人々のため、お得意先のためになるようがんばっているんだと考えており、そういうことを常に自問自答し、反省を重ねて日ごろの信念にしていたことから、そのような強い立場に立つことができたと思うのです。そしてそれによって、いわゆる禍《わざわい》を福に転ずることができたわけです。

このような信念が、お得意先とのことに限らず、仕事全般に必要なのではないでしょうか。

実力を正しく測りつつ……

「あの人は、平社員であったときには仕事もよくできて、非常に有能であったけれども、主任になったら部下にも十分働いてもらっていないし、自分もあまり仕事ができていないようだ」とか、「彼は課長としてはまことに立派な課長だったが、部長になったら、どうも成績があがらない」といった話を、ときに耳にすることがあります。

最近では多少変化が見られつつあるようですが、わが国にはいわゆる年功序列制というものがあって、能力以外の配慮から昇進昇格させるということも、一面にはあると思います。そうしますと、部長なり課長なりになって本人も喜び、周囲も祝福するけれども、あにはからんや本人にはその力がなく、結局はその人の不幸ともなり、会社にもマイナスになるということも起こってきます。

そんな場合、もしその人が、自分の実力というものをよく認識していて、たとえ会社から「君、部長になってくれ」と言われても、「いや、私には課長は務まりますが、部長になるには力不足ですので、辞退させていただきます」と言ったとすれば、その人はまず失敗しないでしょうし、課長として成功できる人だと思います。

もちろん、これと逆の場合もあり得ましょう。

これは結局、お互いが自分の能力を知り、その上に立って自己の適性というか、力の限度に合った仕事をしていくことが大切だということだと思います。

もし五十の力しかない人が、七十の仕事をしようとしたら、失敗するのは当然です。反対に、もし百の力のある人が、七十の仕事をしていたのでは、これは失敗はしないでしょうが、きわめてもったいないムダをしていることになります。やはり百の力をもった人は、それを適正に認識し、少なくとも九十五の仕事をやるということでなくては、本人のためにも社会のためにも損失でしょう。

そのように、常に自分の能力というものを検討し、その適性に合った仕事をしていくという心がけが、特に管理職の人には大切だと思います。そうすれば、そこにはおのずから不平不満なく、むしろ喜びと楽しみをもって仕事ができるという姿が生まれてくると思うのです。

社員として、また人間として尊いのは、大きな仕事をすることではなく、自分の力に合った仕事に誠心誠意取り組み、それに成功することだと思います。

ただその場合、もう一つ大事なのは、そのような能力なり適性というものは、固定的でも不変のものでもないということです。というより、多くの場合、刻々と進歩、向上するものであり、またみずからの努力で進歩、向上させていかなくてはならないものです。

したがって、一面にその時々の自分の力を検討し、それを超えた仕事をしないということを心がけつつも、つぎにはさらに大きな仕事、高度な仕事に適応できるように、絶えず自分を高めていく努力を欠いてはならないと思います。

そういうことが、自分自身にとってもその働きが有効に生かされて大きな喜びとなるし、ひいては会社や世の中にも貢献する結果になると思うのですが、どうでしょうか。

大事に臨んで間に合う人に

〝人多くして人なし〟という言葉を、以前、ある先輩から聞いたことがありますが、確かに会社の経営においても、普通の状態でなら間に合う人は大勢います。しかし、さて大事に臨んで間に合う人は、というと、実際、そう多くはないように思います。

もちろん、普通の仕事に間に合う人も大切です。そして、多くの人に、大事の場合に役に立つ人間であることを望むことは無理かもしれません。しかし、実際に会社が大事に直面した場合には、その難関を切り抜けるために役立つ人間が、ある一定数はどうしても必要です。

では、どういう人が大事において役に立つのでしょうか。その道の知識とか経験が大きな比重をもつことは当然ですが、ただそれだけではダメだと思います。そういうものに加えて、いざというときには命を賭《と》すというか、事志に反すれば死をもってこれにあたるというような気がまえを、いつの場合でももっていること、そういう人であってはじめて、ほんとうに大事に役立つ人たり得るのではないでしょうか。

以前、ある書物で、こんな話を読んだことがあります。それは、明治時代の日本の興隆期のことですが、当時、明治政府の大臣が、事が困難になったことの責任をとって、みずから辞職するということが相次いだ。そのときに明治天皇が、「諸君は辞職してそれでよろしいが、私はどうするんだ。私は辞職できないではないか」ということを仰せになったというのです。

私はこれは結局、明治天皇が、死を超越して事にあたっておられたところから出たお言葉だろうと思います。周知のようにわが国は、明治時代のわずか四十五年間に、それまで電車もなく電話もなく何もない、文化的にも貧弱な状態から出発して、世界の五大強国の一つにまでなりました。そうした近代国家としての礎を築く画期的な興隆が実現できたのも、明治天皇のような、いわゆる大丈夫の精神に立つ指導者を得ていたことが大きな要因だったのではないでしょうか。

そこまで徹することはなかなかむずかしいにしても、幹部社員たるものはやはり、大事に臨んでこれに敢然と立ち向かえる気がまえというものを、日ごろから養い高めておきたいものだと思います。

悩みあればこそ……

一つの部門の責任者あるいは一つの会社の幹部として仕事をしていると、つぎからつぎへと、いろいろな問題が起こってきます。はた目にはきわめて順調に推移しているように見える部門や会社でも、その責任者の心中には、〝あれも早く対策を講じなければならない。これもすぐ手を打たないと……〟といった問題というか悩みが、渦をまいている。ときにはそれが気になって、食事もうまくない、夜もよく眠れないといったことにもなってきます。いきおい〝なんとかすべての問題をうまく解決して、安心して仕事にあたりたいものだ〟といった願いをもちつつ仕事に取り組んでいる人が多いと思います。

しかし私は、そのようないわば絶対安心の境地というものは、ほんとうはあり得ない、だから私たちがとり得るのは、そうした絶対安心の境地を求めて、最善の努力を重ねていく、という行動以外にないのではないかと思うのです。

私自身の経営者としての歩みをふり返ってみても、日々これ戦い、日々これ競争という意識が常に働いており、一歩誤ればたいへんなことになるというようなある種の脅威を感じながらの毎日だったように思います。ですから、絶えず〝これではいかん。あれもしなければ、これもしなければ……〟といった心配があって、一日たりとも安閑としていられなかったというのが正直なところです。

しかし、考えてみますと、仕事をしているからには、そのような姿がいわば当たり前で、そのような心配を重ねてきたからこそ、今日までなんとかそれなりの成果をあげつつ、仕事を進めてくることができたのではないかという気がするのです。

こうしたことは、一国の運営というものについても見られることだと思います。それぞれの国の運営にあたる人々は、これまで絶えず、その存立を危うくする何らかの脅威を少なからず感じつつ、なんとかより以上の発展を実現しようと努力してきているのだと思います。にもかかわらず、その国のおかれた立場なり地位というものは、刻々と変化していきます。現に戦後長いあいだ世界のリーダー国として自他ともに認める存在であったアメリカにも、最近ではいろいろな面で威信低下の姿が見られるようになってきています。一国の運営にあたる人といえば、それぞれの国を代表する立派な方々といえましょうが、そういう方々が懸命に努力している国においても、それほどの変化、消長があるわけです。

まして、私たちの会社なり部署なり、あるいは個々人については、国以上に激しい変化があるのが普通だといえましょう。ですから、お互いの日々の仕事においては、心配も何もなくしてうまくいくということは、ないのが本来の姿で、したがって、あれこれ思い悩み、心配するということが、むしろなければならないと思うのです。

それは、つらいといえばつらいし、苦しいといえば苦しいことです。しかし、そうはいうものの、どんな心配、悩みの中にも、お互いの生きる境地というものはあるものだと思います。つまり、〝幹部社員には悩みや不安が多いのが当然で、それがいやなら職を辞せばいい〟といったように、まず腹をすえる。その上でそういう心配、悩みがあるからこそ、自分たちは勉強するんだ、それがお互いの刺激、薬ともなって、新しい工夫やすぐれた品物を生み出すことができるんだ、というように考え、その心配、悩みを克服していく。そういうところに幹部社員としての仕事の喜び、さらには生きがいを見出していくという姿勢が大切ではないかと思うのです。

〝道は無限にある〟の信念

会社の経営においては、今日、製造や技術、販売その他の各面に、いろいろ進歩した方法が生み出されてきています。その進歩、発展ぶりにはまことに目をみはるものがありますが、しかし考えてみますと、これは今日の時点における進歩、発展です。もしこれが、百年なら百年先になったらどうでしょうか。百年先の人々は、今日のわれわれがしていたことを見て、「あの時分はこんなつまらんことをやっていたんだな」と笑うかもしれません。私は世の中というものは、それほどに進歩していくものだと思います。

今日は不可能だと考えていることが、百年先にはその大半が可能となる。そしてまた別のもっと大きな問題が生み出される。そのようにして、人類が存在するかぎり、隠された新しい方法というものが、いわば無限に発見されていきます。その無限にある方法を、一つひとつほどいていく、一つひとつ見出していく。そういうところに、お互い産業人としての大きな使命、役割があるということを、特に責任者の立場にある人は、常に自覚しておく必要があるのではないでしょうか。

そういう自覚にもとづく強い信念をもつならば、私は、仕事というものはほとんど順風満帆というか、自分では相当に苦心していても少なくともまわりからは順風満帆と見える成功を収めていくことができるのではないかと思います。

もっとも、その際にきわめて大事なのは、そのようにどんな困難なことにも、さらにいい方法があるんだ、という自覚、信念に立って、〝何ごとでもやればやれるんだ〟ということを力強く社員の人たちに訴えていくということです。

物事というものは、責任者ができないと思ったならば、できるものでもなかなかできません。しかし、責任者が〝これはやれば必ずできるぞ〟という考えに立ち、十人なら十人いる部下を集めて、「これは、こういうことでやりたいと思う。諸君、やってくれるか。私はやれると思うから、諸君もぜひ力を尽くしてほしい。諸君が協力してくれるなら、自分が先頭に立ってやるから」と力強く訴える。そうなれば部下も「大いにやりましょう」ということになってきて、ついにはそれが実現できるものです。

もちろん、その場合、めざす目標がいわゆる理にかなったもの、道にかなったものでなければなりませんが、そうであるかぎりは、すべてが予期したとおりにいくということはなかなかむずかしいにしても、ややそれに近い情勢は、必ず生み出していけるものだと思います。私自身も、これまでおおむね、そういうやり方をしてきましたが、責任者のそうした呼びかけ、訴えがあれば、そこに社員全員の衆知というものが集まって、全員の知恵で新しいものが発見され、製造なり技術においても、販売法についても、あるいは経営の仕方そのものについても、より新しくよりよいものが生み出されてくるものです。

そのような意味で、責任者というものは、決して消極的、悲観的であってはならないと思います。〝失敗するかもしれない〟とか〝おそらくできないだろう〟ということでなく、〝やれば必ずできる〟〝もし転んでも、そこに転がっているものをつかんでやり直そう〟という積極性、根性をもつ。それが責任者たるものの絶対的な要件の一つといえるのではないかと思います。

好きになる

　新入社員から幹部社員まで、体験を通じて私なりに大切だと考える心得についていろいろあげてきましたが、最後にもう一つ、すべての社員に共通し、これまで述べてきたさまざまな心得を実践する原動力ともなるのではないかと考えられることについて、ふれておきたいと思います。

　といっても、それは特別のことではありません。むしろきわめて平凡で、〝なんだ、そんなことか〟と思われるようなことですが、ひと言でいえば、自分の仕事を心底、好きになる、ということです。

　仕事というものは、〝会社から命じられたし、自分は社員であるからやらざるを得ないんだ〟というようなことでは、いい仕事はとうていできません。仕事を進めていく過程では、はたの人が見たら〝つらいだろうなあ、気の毒だ〟と思うような場合も、しばしばあると思います。仕事のことがいろいろと気になって、夜も眠れない。それで奥さんが心配するというようなこともあるかもしれませんし、友人に「おまえ、そんなに苦しんで、いったいどうなっているんだ。大丈夫か」と言われるようなこともあるかもしれません。

しかし、はた目にはそういう状態であっても、自分自身としては少しも苦痛ではない。仕事のことを考えることが、面白くて面白くてしようがないんだ、というようなことが考えられるかどうかということです。

というのは、社員としての生活、特に責任ある立場に立ち、何人もの部下をもって仕事をするというようになれば、なかには自分の思うとおりに動いてくれない部下も出てきます。いちいち理屈を言う人もあるし、誤解する人もあるし、なかなか自分の意を素直にくんでくれないという場合が生じてくる。そんなとき、人間であればだれでも、ときには〝かなわんなあ〟〝困ったなあ〟〝わずらわしいなあ〟と思います。

しかし、そう思っても、その一方でまた、〝なんとか誤解をなくしてあの人たちを立派に育てよう、協力してもらえるようにしよう〟と思い直し、みずからを慰めるということが必要です。そうでないと仕事の成功は望めないと思います。そして、そうした思い直し、気分の切り替えができるかどうか、それが私は、その人が仕事が好きかどうかにかかっていると思うのです。

好きであれば、それがそれほどの苦もなくできます。一時的には〝わずらわしい、困ったな〟と思っても、つぎの瞬間には〝その苦労を乗りきることが面白いんだ〟ということでかえって勇気が湧いてきます。しかし、嫌いだとそうはいきません。嫌いな人は、だんだんその苦しさがつのってきて、頭が痛くなってくる。そして〝もう自分はこの仕事から逃げたいなあ〟といったことになってくるわけです。それでは仕事を全うすることはできません。

こうしたことは、会社の仕事に限りません。たとえば芸術家でもそうだと思います。絵を描くことが好きであるから画家になることができるわけで、嫌いな人は、どれほど勉強したとしても画家にはなれないでしょう。しかも、好きな人の中でも、すぐれた画家になれるのは、ごくわずかな人たちです。まして、好きでない人が秀でるということはあり得ない。そういっていいのではないでしょうか。

私は、お互いが会社生活を送るにあたっては、何といっても仕事なり経営のコツをつかむことが大切だと思います。コツをつかんでいないと、どんなに一生懸命に事にあたっても、労多くして功少なしということになってしまいます。そして、この仕事なり経営のコツというものは、人から教えられて身につくものではなく、自分で体得するというか、悟らなければならないものだと思います。

もちろん人から教えられることは参考にはなりますが、結局は自分が実際に仕事の場に立ち、体験を重ねる中でみずから悟っていかなければなりません。その過程では先輩に叱られたり、こづかれたりということもあるでしょうが、そのように会社の中で、もまれもまれていくうちに、そのコツを自分なりに会得することができるわけです。

しかし、それができるのも、やはりその人が仕事が好きな場合だと思います。嫌いでいやいややっていたのでは、苦しみや不満ばかりが残って、コツはつかめない。私は、仕事なり人間というものは、だいたいそんなものではないかと思います。

そのようなことを考えてみますと、社員の心得として大事なことはいろいろあるけれども、その基本となるのは、やはりこの、自分の仕事を好きになるということではないかという気がするのです。

ですから、自分は仕事が好きであるかどうか、ということを絶えず自問自答しつつ、仕事が好きになるように努めていきたい。「よく考えてみると、自分はこれまで苦労だ、苦労だと思っていたけれども、仕事というものはきわめて面白いものだ。自分の仕事の進め方一つで、周囲の人々の働きがいを高め、その長所を引き出していくことができるようにもなる。だから、興味津々として尽きないものがある」といったことが言えるようになりたい。

そして自分の娯楽をやめる必要はないけれども、三つの娯楽は二つにとどめて、仕事に面白味を見出し、味わうというようなことができるようになるならば、私はその人は、社員として必ず成功するでしょうし、仕事によって非常に救われる人である、そう思うのですが、いかがでしょうか。

■松下幸之助略年譜

年	年齢	事項
明治二十七（一八九四）		十一月二十七日、和歌山県海草郡和佐村字千旦ノ木（現和歌山市禰宜〈ねぎ〉）で松下政楠、とく枝の三男として出生
三十二（一八九九）	4	父・政楠が米相場に失敗、和歌山市内に移住
三十七（一九〇四）	9	尋常小学校を四年で退学、単身大阪に出て宮田火鉢店に奉公
三十八（一九〇五）	10	五代自転車商会に奉公
三十九（一九〇六）	11	父・政楠病没
四十三（一九一〇）	15	大阪電燈㈱に内線係見習工として入社
四十四（一九一一）	16	内線係見習工から最年少で工事担当者に昇格
大正二（一九一三）	18	母・とく枝病没
四（一九一五）	20	井植むめの（十九歳）と結婚
六（一九一七）	22	工事担当者から最年少で検査員に昇格 大阪電燈㈱を退社、大阪・猪飼野でソケットの製造販売に着手
七（一九一八）	23	三月七日、大阪市北区西野田大開町（現福島区大開）に松下電気器具製作所開設 アタッチメント・プラグ、二灯用差し込みプラグの製造販売開始

十二（一九二三）	28	砲弾型電池式自転車ランプを考案発売
十四（一九二五）	30	連合区会議員選挙に推されて立候補し、二位で当選
昭和 二（一九二七）	32	角型ランプに初めて「ナショナル」の商標をつけて発売
四（一九二九）	34	松下電器製作所と改称。綱領・信条を制定し、松下電器の基本方針を明示
		世界恐慌となったが、半日勤務、生産半減、給与全額支給とし、従業員を解雇することなく不況を乗り切る
六（一九三一）	36	ラジオ受信機がＮＨＫ東京のラジオセットコンクールで一等に
		乾電池の自社生産開始
七（一九三二）	37	五月五日を創業記念日に制定、第一回創業記念式を挙行し、産業人の使命を闡明（せんめい）、この年を命知元年とする
八（一九三三）	38	事業部制を実施 朝会・夕会を全事業所で開始 大阪府北河内郡門真村（現門真市）に本店を移す
		「松下電器の遵奉すべき五精神」（昭和十二年、七精神に）を制定
九（一九三四）	39	松下電器店員養成所開校、所長に就任
十（一九三五）	40	松下電器製作所を株式会社組織とし、松下電器産業㈱を設立。同時に従来の事業部制を分社制とし、九分社を設立

昭和 十五（一九四〇）	45	第一回経営方針発表会を開催（以後、毎年開催）
十八（一九四三）	48	軍の要請で松下造船㈱、松下飛行機㈱を設立
二十（一九四五）	50	終戦。その翌日、幹部社員を集め、平和産業への復帰を通じて祖国の再建を呼びかける 続いて八月二十日、「松下電器全従業員諸君に告ぐ」の特別訓示を行い、難局に処する覚悟を訴える
二十一（一九四六）	51	松下電器及び幸之助が、ＧＨＱから財閥家族の指定、公職追放の指定等七つの制限を受ける（昭和二十一年三月～二十三年二月） 全国代理店、松下産業労働組合が公職追放除外嘆願運動を展開 十一月三日、ＰＨＰ研究所を創設、所長に就任
二十四（一九四九）	54	企業再建合理化のため、初めて希望退職者を出す 負債十億円となり、税金滞納王と報道される
二十五（一九五〇）	55	諸制限の解除によって状況好転、経営も危機を脱する 緊急経営方針発表会で「嵐のふきすさぶなかに松下電器はいよいよ立ち上がった」と経営再建を声明
二十六（一九五一）	56	年頭の経営方針発表会で「〝松下電器はきょうから再び開業する〟の心構えで経営にあたりたい」と訴える

		第一回、第二回欧米視察
二十七（一九五二）	57	渡欧、オランダのフィリップス社との技術提携成立
三十六（一九六一）	66	松下電器産業㈱社長を退き、会長に就任
三十七（一九六二）	67	『タイム』誌のカバーストーリーで世界に紹介される
三十九（一九六四）	69	熱海で全国販売会社代理店社長懇談会を開催
四十三（一九六八）	73	松下電器創業五十周年記念式典を挙行
四十七（一九七二）	77	『人間を考える――新しい人間観の提唱』刊行
四十八（一九七三）	78	松下電器産業㈱会長を退き、相談役に就任
五十四（一九七九）	84	㈶松下政経塾を設立、理事長兼塾長に就任
五十六（一九八一）	86	勲一等旭日大綬章を受章
五十七（一九八二）	87	㈶大阪21世紀協会会長に就任
五十八（一九八三）	88	㈶国際科学技術財団を設立、会長に就任
六十二（一九八七）	92	勲一等旭日桐花大綬章を受章
六十三（一九八八）	93	㈶松下国際財団を設立、会長に就任
平成　元（一九八九）	94	四月二十七日午前十時六分、死去

『人生心得帖』は一九八四年九月に、『社員心得帖』は一九八一年九月に、いずれもPHP研究所より刊行された。

[著者略歴]
松下幸之助（まつした・こうのすけ）
パナソニック（旧松下電器産業）グループ創業者、ＰＨＰ研究所創設者。明治27（1894）年、和歌山県に生まれる。９歳で単身大阪に出、火鉢店、自転車店に奉公ののち、大阪電燈（現関西電力）に勤務。大正７（1918）年、23歳で松下電気器具製作所（昭和10年に松下電器産業に改称）を創業。昭和21（1946）年には、「Peace and Happiness through Prosperity ＝繁栄によって平和と幸福を」のスローガンを掲げてＰＨＰ研究所を創設。昭和54（1979）年、21世紀を担う指導者の育成を目的に、松下政経塾を設立。平成元（1989）年に94歳で没。

カバー写真：貝塚 裕

PHPビジネス新書 松下幸之助ライブラリー M01
人生心得帖／社員心得帖

2014年４月１日　第１版第１刷発行
2015年12月10日　第１版第２刷発行

著者　松下幸之助
発行者　小林成彦
発行所　株式会社ＰＨＰ研究所
東京本部　〒135-8137　江東区豊洲 5-6-52
ビジネス出版部　☎03-3520-9619(編集)
普及一部　☎03-3520-9630(販売)
京都本部　〒601-8411　京都市南区西九条北ノ内町11
PHP INTERFACE　http://www.php.co.jp/
装幀　齋藤 稔＋印牧真和
制作協力・組版　株式会社PHPエディターズ・グループ
印刷所
製本所　図書印刷株式会社

ISBN978-4-569-81856-6

松下幸之助ライブラリー

指導者の条件

松下幸之助 著

松下幸之助が自らの姿勢を正すために著し、常に座右に置いた一冊。古今の事例から、指導者のあるべき姿を１０２カ条で具体的に説く。

定価 本体八八〇円（税別）

松下幸之助ライブラリー

若さに贈る

松下幸之助　著

「できることならば、わたしは、自分のいっさいを投げ捨てても、みなさんの年齢にかえりたい」——幸之助翁から若者へ、魂のエール。

定価　本体八四〇円（税別）

PHPビジネス新書

松下幸之助 ビジネス・ルール名言集

PHP研究所 編著

現場で生まれ、現場で役立つ松下幸之助の言葉集。営業、サービスからマネジメントまで、リアルなノウハウを語った肉声がつまった一冊。

定価 本体八六〇円（税別）